KB097107

- 청소년이 기획한 지역문제 해결책 -

청소년 로컬 파이오니어

청소년이 바꾼, 환대-연결-연대의 우리 마을

청소년 로컬 파이오니어
Local Pioneer

- 청소년이 기획한, 소멸문제 해결책 -

Local RE-branding

노인친화도시
환경친화도시
관계인구친화도시

SJCEF 福告
새종고등학교 사회참여동아리

BOOKK

청소년 로컬 파이오니어

발　행 | 2023년 12월 29일
저　자 | 박창순
펴낸이 | 한건희
펴낸곳 | 주식회사 부크크
출판사등록 | 2014.07.15.(제2014-16호)
주　소 | 서울특별시 금천구 가산디지털1로 119 SK트윈타워 A동 305호
전　화 | 1670-8316
이메일 | info@bookk.co.kr

ISBN | 979-11-410-6298-9

- 청소년이 기획한 지역문제 해결책 -

청소년 로컬 파이오니어

청소년이 바꾼. 환대-연결-연대의 우리 마을

청소년 로컬 파이오니어
Local Pioneer

- 청소년이 기획한. 소멸문제 해결책 -

Local RE-branding

노인친화도시
환경친화도시
관계인구친화도시

SJCEF 위규봉
세종고등학교 사회참여동아리

BOOKK

CONTENTS

ENVIRONMENT

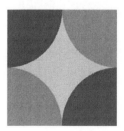

머리말

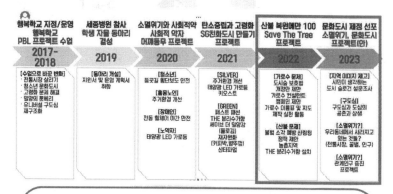

행복학교 지정/운영 행복학교 PBL 프로젝트 수업	세종병원 참사 학생 자율 동아리 결성	소멸위기와 사회적약자 사회적 약자 머개동무 프로젝트	탄소중립과 고령화 SG전화도시 만들기 프로젝트	산불 복원에만 100 Save The Tree 프로젝트	문화도시 재정 선포 소멸위기, 문화도시 프로젝트(안)
2017-2018	**2019**	**2020**	**2021**	**2022**	**2023**
[수업으로 바꾼 변화] ·전통시장 살리기 ·청소년 문화도시 ·고령화 문제 해결 ·밀양의 문베리 ·유니버셜 구도심 재구조화	[동아리 개설] 지원서 및 운영 계획서 취합	[청소년] 등굣길 횡단보도 안전 [홀몸노인] 주거환경 개선 [장애인] 전동 휠체어 야간 안전 [노약자] 태양광 LED 가로등	[SILVER] 주거환경 개선 태양광 LED 가로등 키오스트 [GREEN] 패스트 패션 THE 분리수거함 세이브 더 밀양강 [물로깅] 재자연화 (커피박, 법무꺵) 산타파밀	[가로수 문제] 도시숲 보호법 개정안 제안 가로수 컨설턴트 캠페인 제안 가로수 이름표 및 지도 제작 실천 활동 [산불 문제] 불법 소각 예방 산림청 정책 제안 농촌지역 THE 분리수거함 설치	[지역 이미지 제고] 시민이 생각하는 도시 슬로건 설문조사 [구도심] 구도심과 도심의 공존과 상생 [소멸위기?] 우리동네에서 사라지고 있는 것들? (전통시장, 꿀벌, 인구) [소멸위기?] 관계인구 증진 프로젝트

토론 수업을 진행하던 친구가 갑자기 말했습니다. "선생님, 밀양 산불 때문에 나무가 많이 죽었대요! 그런 것도 토론하면 안돼요?" 그 말, 한마디에서 출발하여 우리 동네의 환경을 지키기 위한 사회참여동아리가 결성되었습니다.

상품이 아니면 쓰레기로, 0과 1로 코드화된 세상 속에서 아이들은 조금 다른 세상을 만들기 위해 주체적이고, 능동적으로 변화시켜왔습니다. 그 결과 쓰레기로 여겨졌던 것들은 더 이상 쓰레기가 아닌 새로운 재료가 되었습니다.

이런 과정 속에 만들어진 이 책은 우리가 살아가는 지구를 어쩌면 더 나은 세상으로 바꿔갈 한줄기의 빛이 되지 않을까 라는 생각을 해봅니다.

그동안 수많은 교과에서 지역사회와 관련된 내용 요소들을 학습해왔지만, 실제적 맥락과 유리되어 학습하다 보니, 진정한 배움을 일으키기에는 역부족이었습니다. 이러한 문제점은 지역사회와 연계한 실제적 맥락의 동아리 활동을 워크북 중심의 프로젝트 기반학습[PBL]으로 진행하여 해결할 수 있을 것입니다. 이를 통해 무의미하게 여겨오던 동아리 활동을 활동 중심의 핵심역량을 신장하는 활동으로의 변화를 도모할 수 있을 것입니다.

오늘날 바바나가 심각한 멸종위기에 처한 것은 맛 좋고, 생산성이 높은 한 종만을 재배하기 때문입니다. 상위 1%의 우등생이 아닌, 우리 아이들이 쏘아 올린 작은 공은, 사회적 약자를 보살펴 이 세상에 '행복'이 멸종당하지 않는 동네로 만드는 가장 위대한 것이었습니다.

학교는 미래의 시민을 기르는 공간이 아니라, 현재의 시민으로서 청소년들이 사회에 참여하는 민주시민 공간이어야 합니다. 우리가 늘 우산을 잃어버리는 것처럼, 민주시민의식도 자

주 사용하지 않으면 잃어버리곤 맙니다. 학교가 우리 친구들의 사회참여를 지원하는 공간이 되기를 바라는 마음으로 우리 친구들의 메세지를 전하고자 합니다.

2023년 12월,
아이들의 손끝에서 피어난 꽃이
그대의 곁에도 큰 울림으로 맺히길
– 지도교사 박창순 두손모음

수익금은 전액 비영리 목적의
지역사회 문제해결을 위한 비용으로
사용됨을 알려드립니다.
도서 판매 수익금의 사용처가 궁금하신 분들은
아래 링크에서 확인 또는 문의해주시기 바랍니다.
https://litt.ly/cherry_blossom

관계인구란?

관계인구란?

관계인구는 살고있는 사람(정주인구)이나 잠깐 들르는 사람(관광인구) 사이의 모든 인구층을 의미한다. "실제로 지역에 살지 않지만 지역에 다양하게 참여하는 사람", "소비와 납세에 얽매이지 않고 지역과 관계를 엮는 사람들", "농촌에 다양한 관심을 갖고 참여하는 사람들"이라는 정의도 있다.

왜 '관계 인구'인가요?

텅빈 시장과 늘어가는 빈 점포 (촬영 SJCEF)

"비어가는 작은도시"라고 비유되는 도시소멸과 관련된 뉴스를 요즘 쉽지 않게 찾아볼 수 있습니다. 보통 '마을'은 '주로 시골에서, 여러 집이 모여 사는 곳'이라는 의미로 통용되고 있습니다.

2021년 8월13일 감사원이 공개한 '인구구조 변화 대응 실태' 감사 보고서에 따르면 약 100년 뒤 국내 인구 전망치는 극단적인 사회 변화를 맞이할 수 있음을 보여줍니다. 국내 인구는 2017년 5136만 명에서 2117년 1510만 명으로 줄어듭니다. 달리 말해서 2017년생이 100살이 되면 국내 인구가 현재의 30% 수준으로 급감한다는 뜻이되겠지요. 국내 인구는 2047년엔 4771만명, 2067년엔 3689만 명이 될 것으로 추정되고 있습니다.

인구 감소는 고령화를 동반합니다. 65살 이상 고령층 인구 비중은 2017년 13.8%(707만 명)에서 2117년 52.7%(796만 명)로 크게 늘 것으로 추산되고 있습니다. 2047년엔 39.4%(1879만 명), 2067년엔 49.5%(1827만 명)로 급격히 증가할 것으로 추정됩니다.

2017년	2047년	2067년	2117년
12곳 (5.2%)	157곳 (68.6%)	216곳 (94.3%)	221곳 (96.5%)
소멸 고위험			
71곳 (31.0%)	72곳 (31.4%)	13곳 (5.7%)	8곳 (3.5%)
소멸 위험 진입			

▲ 소멸위험지역 분석도

이와 관련한 주요 지표로서, 「국내 소멸 위험 기준」은 2016년 3월 한국고용정보원 이상호 부연구위원이 '한국의 지방소멸에 관한 7가지 분석' 보고서에서 처음 제시했습니다. 일본 창성회의 의장 마쓰다 히로야가 2015년 저서 <지방소멸>에서 활용한 기준(20~39살 여성인구 감소율)을 변용해 65살 이상 고령인구 대비 20~39살 여성인구 비율로 소멸위험지수를 나타내었습니다. 65살 이상 고령인구가 20~39살 여성인구의 두 배를 넘으면 '소멸 위험 지역'으로 분류합니다. 그중에서 그 비율이 다섯 배가 넘으면 '소멸 고위험 지역'으로 부릅니다.

이러한 상황 속에서 관계인구는 인구소멸시대의 새로운 대안으로서 제시되고 있으며, 실제로 큰 효과를 이뤄내고 있습니다. 2004년 일본 니가타 추에쓰 지진 당시 지역에 구호활동을 하러 간 도시 청년들이 지역의 존재에 눈을 뜨면서 자신의 근황을 '지역관계활동'이라고 부른 것에 용어의 기원이라고 보고 있습니다.(사시데 가즈마사(指出 一正, 로컬라이프 전문잡지 소토코토(『ソトコト』편집장)의 분석).

그 후 일본에서는 2014년에 마스다 보고서를 통해 지역소멸론이 대두되었고 총무성 차원에서 정책대응이 활발하게 전개되기 시작하여 2016년에는 총무성 산하에 '미래 이주·교류시책 방법에 대한 검토회'(좌장: 오다기리 도쿠미 메이지대학 농학부 교수)가 설치되어 본격적인 관계인구정책이 추진되고 있습니다.

관계인구 개념

관계인구는 살고있는 사람(정주인구)이나 잠깐 들르는 사람(관광인구) 사이의 모든 인구층을 의미한다. "실제로 지역에 살지 않지만 지역에 다양하게 참여하는 사람", "소비와 납세에 얽매이지 않고 지역과 관계를 엮는 사람들", "농촌에 다양한 관심을 갖고 참여하는 사람들"이라는 정의도 있다.

관계인구는 2016년경에 타카하시 히로유키라는 분에 의해 언급되었습니다. 관계인구라는 용어가 언급된 이유는 인구 감소와 고령화 문제에 있습니다. 나날이 인구가 감소되어 일을 할 사람들이 줄어드는 농촌을 위해서는 "도시에 있으면서 농산어촌이나 생산자를 지원하는 사람들"의 도움이 절실하다 라는 것을 강조하기 위해서였습니다. 이처럼 초기의 관계인구 개념은 대등한 지역 간의 교류·연계라기보다는 중산간지역, 조건불리지역 등으로 구분되는 농산어촌이나 지방 소도시를 위해 도시가 일방적으로 지원하는 것으로 활동가와 같이 지역에 공헌을 하는 사람들을 의미했습니다.

관계인구 개념의 등장 배경

① 일본 1990년대 엔젤플랜, 신엔젤플랜 등을 수립하여 저출생에 먼저 대응하고자 했으나 성과 미비
 - 일본 총인구가 감소되고 중앙으로의 인구 집중현상도 점점 심화
② 지역 인구를 늘리기 위한, 정주인구 증가를 중요한 목표로 설정
 - U턴, I턴에 대한 지원 등 이주촉진 정책에 힘을 쏟음
 - 인구 유출을 억제하기 위한 정책 시행
③ 각 지역별 유사한 정책으로 인구쟁탈전 양상을 띰.
④ 사회운동가 등으로부터의 현장의 용어로 관계 인구의 개념이 사용됨.
 - 2016년, 일본의 다카하시 히로유키: 일회적 관광(교류인구), 이주 및 정착 (정주인구) 사이의 제3의 개념으로서의, 지역과 관계를 맺는 관계인구 제시
 <도시와 지방을 섞다 : 타베루 통신의 기적>
 - 2016년, 사시데 카즈마사: 관계인구를 특정 지역 및 주민들과 지속적이고 다양한 형태로 관계를 맺는 사람들"로 정의
 <우리들은 지방에서 행복을 찾는다>

관계인구에 대한 정책 논의가 시작된 것은 일본 내각부와 총무성이 관계인구를 지방창생에 반영하기로 결정한 2018년 경부터 입니다. 우리나라와 큰 차이가 나지 않습니다. 정책의 준비를 위해 총무성과 함께 관계인구를 고민한 오다기리 도쿠미 (2018) 교수는 관계인구를 "관심인구"와 "관여인구"가 합쳐진

탄생한 용어로, 정주인구도 교류인구도 아닌 제3의 인구로 정의하였습니다.

관련 연구를 종합하면, 관계인구는 "무관심과 정주의 단계 사이에 자리매김"하고 있는 유동성이 큰 존재들이다(이소영·김도형, 2021). 주거, 교육, 일자리 등의 이유로 고향을 떠난 출향인들의 회귀나 관광 등 단순 방문객으로는 인구감소 등 지역의 위기를 벗어나기 어렵기 때문에, "상시적으로 거주하지 않지만, 지역과 밀접하게 관련 있는 사람들"을 통틀어서 관계인구라 칭할 수 있다(신승근·조경희, 2022).

관계인구 유형

관계인구의 유형은 평가기준이 무엇인가에 따라 다양하게 나타날 수 있는데, 오다기리 도쿠미 교수는 지역으로의 정주 지향성과 지역에 대한 관심도를 기준으로 관계인구층을 다음과 같이 도식화하였습니다.

해당 정의는 관계인구를 이주의 전 단계로 인식하고, 무관심에서 이주까지 이르게 되는 단계를 "관심(의식)"을 세로축, "관여(행동)"를 가로축으로 한 그래프로 설명하고 있습니다. 이를 "관계의 계단"이라고들 합니다. 관계의 계단은 지역의 특산물 구입, 지역에의 기부(고향세 등), 빈번한 방문, 지역에의 봉사활동, 2 지역 거주, 정주의 6개의 계단으로 구성되었습니다.

관계인구 개념을 처음 이야기한 타카하시 히로유키씨가 "도시에 있으면서 농산어촌이나 생산자를 지원하는 형태"를 구체적으로 나눈 것으로 보시면 됩니다.

다만 처음의 개념은 도시민의 농촌 지원이라는 활동가적인 의미가 컸다면, 오다기리 교수의 정의는 관광으로 시작해서 로컬 소비를 하고, 고향세 등으로 지원을 하며, 재방문하고, 거주하게 되는 다양한 행태로 기술하여 관계인구의 범위를 넓혔습니다.

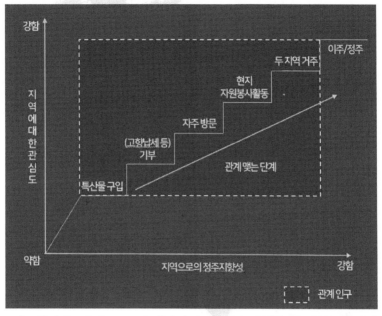

이 개념을 바탕으로 우리나라의 행정안전부와 유사한 성격의 일본의 총무성에서는, '지역과의 관계에 대한 생각 정도'와 '지역과의 관계 현황'으로 그래프를 작성하고 관계인구를 정부부처 중 처음으로 정의하고 유형화하였습니다.

2021년 3월 과소지역지속적발전특별법조치법 제정에서는 '필요인구'라는 새로운 인구 개념까지 제시하여 지역의 심각한 상황을 보여주고 있습니다.

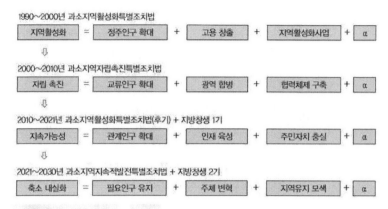

1990~2000년 과소지역활성화특별조치법

지역활성화 = 정주인구 확대 + 고용 창출 + 지역활성화사업 + α

2000~2010년 과소지역자립촉진특별조치법

자립 촉진 = 교류인구 확대 + 광역 합병 + 협력체제 구축 + α

2010~2021년 과소지역활성화특별조치법(후기) + 지방창생 1기

지속가능성 = 관계인구 확대 + 인재 육성 + 주민자치 충실 + α

2021~2030년 과소지역지속적발전특별조치법 + 지방창생 2기

축소 내실화 = 필요인구 유지 + 주체 변혁 + 지역유지 모색 + α

"왔다가는 바람의 사람, 지역 내 루트가 있는 자, 무언가의 관련이 있는 자, 지역 내에 루트가 있는 자"의 4개 유형으로 구분됩니다.

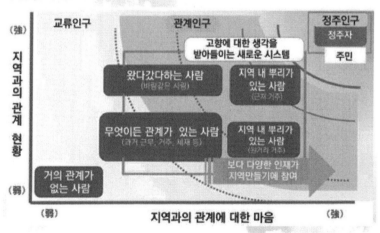

관계인구 유형화 및 형성 방식

관계인구라는 용어가 처음 정책적으로 도입, 활용된 곳은 일

청소년 로컬 파이오니어

본이다. 2016년 민간에서 관련 용어가 이미 사용되었고, 2019년에는 관련 시범사업을 추진했다. 2020년에는 지방창생정책 2기에 관계인구가 주요 정책으로 자리 잡았다.

일본에서 관계인구는 '방문형'과 '비방문형'으로 나누어 설명한다. 방문형 관계인구는 직접기여형, 일자리형(현지근무), 일자리형(텔레워크), 참가교류형, 취미소비형 등이 있고, 비방문형 관계인구는 고향납세 납부, 지역특산품 구입, 온라인 활동 등의 유형이 있다.

관계인구 유형		지역활동 내용
방문형	직접기여형	창업·창농 등 산업의 창출, 상점가의 빈 점포 유효 활용, 자원봉사, 지역자원 및 마을경관 보전활동, 프로젝트의 기획 및 운영 또는 협력·지원 등
	일자리형(현지근무)	지역기업 및 사업소 근무(부업 등), 농림어업 취업 및 지원
	일자리형(텔레워크)	본업을 텔레워크로 업무, 방문지역 외의 업무(텔레워크 / 부업 등)
	참가·교류형	지역사람들과 교류 및 이벤트, 체험 프로그램에 참가
	취미·소비형	지연·혈연 이외에 지역에서 음식이나 취미활동을 실시
비방문형		고향납세, 지역특산품 구입, 정보제공, 온라인 활동 등

国土交通省 2021a.

2021년 기준 일본의 방문형 관계인구는 약 1,827만 명으로 추계하고 있다. 전체인구의 15%에 달한다(차미숙, 2021). 즉, 관계인구는 인구감소가 기정사실화된 현실에서 지속가능한 지역을 위해 정주인구에 몰두하지 않고 우리 지역과 깊은 관계를 맺어 지역에 생기, 활력을 불어넣어 줄 새로운 주체로서 지역에 꼭 필요한 존재들로 볼 수 있다.

그렇다면 현 상황에서 우선적으로 필요한 것은 우리나라 상황에 맞는 관계인구에 대한 분류와 정의라고 할 수 있다. 효과적 정책 추진, 지속가능성을 도모하기 위해서는 우리나라에 적절한 관계 인구를 유형화하는 것이 먼저라고 할 수 있습니다.

　관계인구를 유형화하면, 지역공유주택에 살며 행정과 협력하여 마을만들기 행사를 기획하고 운영하는 디렉터(director)형(예: 지역부흥협력대), 도시에서 지역홍보활동을 하거나 도시와 지역을 연결하는 허브(hub)형, 도시에 살면서 지역에도 거점이 있는 두 도시 거주(double local)형, 무조건 그 지역이 좋다는 단순 소통형의 네 가지 유형으로도 구분할 수 있다. 이외에도, 비대면 온라인 관계인구, 버스킹과 같은 문화를 공유하는 문화 관계인구 등 다양한 관계인구 형태를 유형화할 수 있습니다.

　우리나라의 경우에는 고향사랑기부제, 지역 한달 살기 프로그램 등을 지자체가 앞다투어 내놓으며 관계 인구 형성을 위해 노력하고 있습니다.

　또한 전북은 '함께인구'로 명명하면서 도내 대학 유학생 및 공공기관 이전 종사자 등을 주요 관계인구 대상으로 검토하고 있으며, 경북은 관계인구에 대한 사이버 도민증 등을 정책 수단으로 검토하고 있습니다.

　이러한 정책들이 단순 체험 활동 수준에 그치지 않도록 하기 위해서는 정주인구의 환대와 관계인구와 지역의 연대라는 기반이 필요할 것입니다.

- 2021. **4월 경북** : 관계인구 및 유동인구 유입방안 모색을 위해 경상북도 정책자문위원회 '복지보건가족 분과위원회' 첫 회의를 개최
- 2021. **6월 전남** : 시군인구정책팀장과 전문가로 구성된 <도-시·군 인구정책협의회>에서 관계인구 개념을 도입한 인구정책 방향논의
- 2021. **5~7월 전북** : 전북도의회 문승우 의원, 도의회에서 "지방소멸, 과소화, 고령화 대응을 위한 관계인구 늘리기 노력해야 한다"고 주장. / 정상섭 정읍시의 원도 7월 정읍시의회에서 관계인구 육성에 관심 가질 것을 촉구

관계인구 사례

< 시네마현 이야기 >

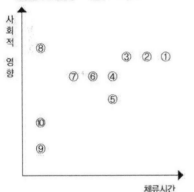

로컬 저널리스트 다나카 데루미(田中 輝美)는 2017년에 출판한 저서『인구의 진화 : 지역 소멸을 극복하는 관계인구 만들기』에서 일본 시마네현에서 추진한 관계인구 만들기 사례를 소개한다.

이 책에서 저자는 도시에서 개최한'시마고토 아카데미'를 소개하며 지역의 문제에 대해 관심을 갖고 지역 사람들을 직접 만나게 하는'관계안내소'라는 마중물을 통해 지역의 인구층이 더욱 풍성해질 수 있다고 주장한다.

관계안내소는 특산품만 파는 관광안내소가 아니라 '새로운 정보를 얻을 수 있고 설렘을 느낄 수 있는 곳', '재미있는 사람과 그 사람을 만날 수 있는 매력적인 장소'로서 사람과 지역의 관계맺음을 지원하는 프로그램 개념이다(시마네현은 도쿄, 오사카 등지에서 관계안내소 프로그램을 지금까지 10년간 운영하여 200여 명 이상이 수료하여 수백명 규모의 시마네현 관계인구 커뮤니티를 운영하고 있다).

시마고토 아카데미는 1기수에 15명 내외로 운영되는데 주1회 주말에 3시간 정도 운영하며 6개월간 7회 강좌를 하고, 단지 강의처럼 지역소개에 그치는 것이 아니라 직접 지역을 방문하여 지역의 산업을 체험하고 지역주민과 만나며 네트워킹하는 입체적인 프로그램으로 운영된다.

< 가미야마 마을 이야기 >

국내에 『마을의 진화』라는 책으로 상세히 소개된 바 있는 일본 가미야마 (神山)마을(인구 5천 명)에서는 오랫동안 추진해왔던 아티스트 인 레지던스(Artist in Residence)의 대상을 셰프, 스타트업, 워크 인 레지던스 등으로 확장하여 체류인구를 유치하며 관계인구를 형성하는 사업을 전개하고 있다.

< 하스미 지구 이야기 >

인구 5천명 규모인 일본 히로시마 오난정 하스미(はすみ)지구에서는 폐선이라는 낡은 자원을 활용하여 폐선안내, 레일카페 등을 운영하는데 단지 관광 프로그램처럼 운영하는 것에서 그치지 않습니다.

'관광, 그만둡니다! 관계, 시작합니다!'라는 슬로건을 내걸고 정부와 면사무소와 같은 공공기관부터 JR철도회사와 같은 기업, 그리고 NPO법인이 함께 관계인구 모델사업을 추진하며 협업하고 있습니다.

그 결과, 방문자들은 지역의 풍경과 지역주민과의 만남으로 마음이 치유되어 지역의 모심기 행사에 참여하는 그룹이 생기고, 이후에는 오난 DIY나무학교라는 형태의 새로운 관계인구 사업을 전개하게 되었습니다. DIY나무학교는 지역빈집보수 현장 자체를 학교로 활용하는 방식입니다.

하스미 지구는 변화하고 있습니다. 이 마을의 사람들은 "관계인구는 마을을 공유하는 동료이므로, 손님으로 취급하지 않는다."를 강조하며, 마을의 관계와 연대, 그리고 환대를 만들어나가고 있습니다.

< 야마나시현 >

■ 2017년 에서 "야마나시 링키지(Linkage)" 계획 발표
 – 교류인구 중에서도 야마나시현을 지지하고 경제적 공헌도나 애착, 귀속의식이 높은 사람을 링키지 인구라 정의. 이를 확대하여 정주인구 증가를 기대
 – 주요대상을 별장객, 이중지역 거주자, 야마나시현 출신 귀향자, 일본 관광객 상정
■ 2020년까지 링키지 인구를 6만명까지 확대하는 목표 수립
 – 2018년 6월, 6만5천명 목표치 달성
 – 롱스테이, 홈타운스테이, 액티브 스테이 3가지 유형으로 구분

※ 🔅 🔆 ◎ ※ 🔅 🔆 ◎ ※ 🔅 🔆 ◎ ※ 🔅 🔆 ◎ ※ 🔅 🔆 ◎ ※ 🔅 🔆 ◎ ※ 🔅 🔆

– 현 내 체제시간, 현 내 소비액 2가지 수치를 기본으로 함.

< 홋가이도 중부 유바리(夕張)시 >

면적은 763㎢, 부산시와 비슷하지만 인구는 7,813명
한때 일본 굴지의 탄광지에서 관광지로 변모했지만 재정이 파탄난 시
인구감소율과 시 기준 고령화율은 전국 최고
인구는 전성기(11만 6908명)이 6.7% 수준이고 65세 이상 인구 50.8%(2018년 기준)

■ 관계인구 창출사업
 – 대상 : 유바리시 기부자(고향납세), 전직 근무자를 비록한 팬과 연고자
 – 유바리 라이커스(Likers)로 등록해 커뮤니티 재구축과 역사문화 계승(기억뮤지엄)
 – 유바리 라이커스의 인재의 지혜를 빌려 지역과제를 해결하고 인적 네트워크 구축

< 돗토리현 히노초(日野町) >

■ 고향주민카드 제도 시행중
■ 지역 외 연고자의 등록을 받아 소식지를 보내고 교류 모임
■ 히노초 시책에 대한 의견을 구하고 특산품 감수도 받음
■ 당초 목표는 히노초 인구(3,050명)의 10분의 1이었지만 현재 등록자는 417명(2019년)

< 나아현 아스카무라(明日香村) >

- 논밭오너제도 도입: 5,680명의 인구에 고령화로 일손이 달리면서 도시 지원으로 농업 살리기
- 논코스 : 1년간 구획(100평방미터.78곳)당 4만엔에 분양
- 참가자는 직접 농사일을 하고 햅쌀을 최소 40kg 가져감
- 4월과 9월에는 지역민과 오너가 모여서 축제
- 오너제도는 감귤, 감나무, 죽순 등 8개로 확대되고 2018년 분양은 710건으로 외국인도 참가

관계인구의 의의

관계인구는 지역의 과제 해결 등에 필요한 「활동력」을 증진시킴과 동시에 새로운 지역 만들기의 담당자 역할을 수행하는 것으로, 지역의 정주인구가 감소하더라도 관계인구가 확보된다면 정주인구의 활동력을 커버하거나 관계인구가 증가함에 따라 정주인구도 활성화되어 결과적으로 활동력을 확보할 수 있을 것으로 상정하고 있습니다.

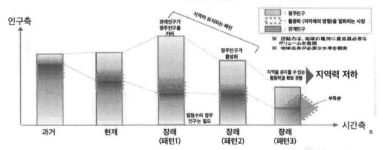

우리나라 감사원은 2021년 7월에 2021년이 사망률이 출생률보다 높게 나타나 인구정점을 지나는 시기이고 이후부터는 인

구가 감소할 것이며, 국내 최초의 100년 인구추계를 통해 구체적으로 지역소멸예상 지역을 발표하였습니다. 이어 2021년 10월, 행안부는 인구감소지역 89곳을 지정 고시하였습니다. 우리나라에서도 본격적인 지역소멸론이 확산되고 있는 것입니다.

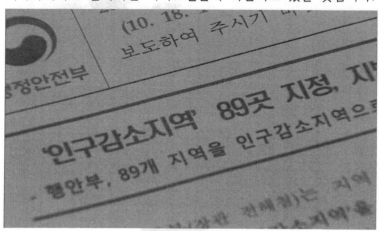

출처 : 행정안전부

한편에서는 지역에서 체감하는 절박한 지역소멸위기 때문에 성급한 지역이주 유치촉진활동이 전개되기도 합니다.

출처 : 경상북도   출처 : 전라북도

그러나 지역의 체질 개선이나 소멸의 원인에 대한 깊은 성찰 없이 이주자만 늘리려는 정책은 타지역의 주민을 뺏는 제로섬 게임일 수 있고, 언제나 지역을 살릴 수 있는 것은 주민만 할 수 있다는 사고방식에 고정된 정책에 그칠 수도 있으며 무엇보다 성공할 확률이 매우 낮은 정책이기도 합니다. 최악의 상황에는 이주 장려금이나 기타 정책적 혜택만 받으며 여러 지역을 이주하며 사는 지원금 헌팅(hunting)족이 나타날 수도 있습니다.

한편으로는 최근 몇 년 동안 지역가치창업 등 지역의 가치에 관심을 갖는 청년층이 늘기도 하였습니다. 다만 이주청년과 토박이청년을 골고루 지원하는 차원에서 정책이 형성될 필요가 있다는 전제 하에, 주민뿐만 아니라 오가는 사람도 지역에 기여할 수 있고, 지역에서 오가는 사람들과 주민이 서로 협력하며 지역을 개선할 수 있는 방법도 새로운 시각으로 매력적인 지역을 만드는 하나의 대안이 될 수 있습니다. 인구 개념에 대한 좀 더 유연한 상상력이 필요한 상황입니다.

참고자료·문헌

윤정구·조회정 역. 2021.『인구의 진화: 지역소멸을 극복하는 관계인구 만들기』. 서울: 더가능연구소)

田中 輝美. 2020.10.16.『관계인구란 무엇인가:그 의미와 의의.』"내각부지방창생추진사무국 관계인구포럼 발표문(온라인

위 참고 자료를 바탕으로 청소년들이 발췌 및 재구성하였음을 알려드립니다.

로컬
파이오니어

지역소멸을 막는 우리 동네 디자인
로컬 파이오니어

[파이오니어 / Pioneer]
개척자를 의미한다. 유사어로 패스파인더(Pathfinder)가 있다.

만나다	부서/역할 정하기
	우리 동네 아픈 곳 (문제점) 찾기
나누다	실행 중인 치료법 (대안정책) 조사
	새로운 치료법 (공공정책) 만들기
	우리들의 작은 날갯짓, 실천하기
이루다	평가 및 개선하기

로컬리즘 시민성, 사회참여동아리의 탄생

청소년은 시민이 될 수 있을까? 진짜 시민으로서 성장해나갈 수 있는 민주시민 교육활동은 어떤 것이 있을까? 그런 고민을 하던 2019년의 어느 날, 한 학생이 자율 동아리 신청서 한 장을 불쑥 내밀었습니다. "우리 학교 등굣길에 우회전 차량 때문에 불행한 등굣길이 되고 있어요! 우리가 이 문제를 해결해보고 싶어요!"

이렇게 사회참여동아리는 창설되었습니다. 매년 바뀌는 동아리 구성원에 따라 비전을 함께 선정하고, 사회적 약자 프로젝트부터 시작해서, 환경친화도시, 노인친화도시 만들기, 관계인구 증진 프로젝트, 소멸대책반 프로젝트 등을 운영해왔습니다.

교과에서 배운 내용을 바탕으로 창체 동아리 활동을 통해 직접 우리 동네의 보안관이 되고, 동네를 지키기 위해 직접 구

슬땀을 흘리며 지역민들로부터 박수를 받는 우리 동네의 진짜 "인싸"들이 되었습니다.

창체 동아리를 통해 진행한 마을 살리기 프로젝트 활동은 [문제인식] 단계, [대안정책 조사] 단계, [공공정책 구상] 단계, [실천 및 제안] 단계의 일련의 흐름에 따라 진행해나갔습니다.

로컬리즘 시민성은 지역사회가 당면한 지역 소멸 문제 해결에 민주적으로 기여하는 자질이나 태도를 지니고 실천하는 역량을 일컫습니다.

그렇다면 지역사회의 시민으로서의 사회참여는 누가 하는 것일까요? 민주주의 사회를 살고 있는 우리는 시민으로서 학교와 동네부터 국가에 이르기까지 모든 영역에서 우리 공동체와 관련된 의사결정 과정에 참여 할 권리 뿐만 아니라 책임도 함께 가지고 있습니다. 즉 우리는 시민으로서 사회참여 활동을 할 수 있으며 또한 참여해야 합니다.

사회참여에는 여러 가지 방법이 있습니다. 선거 때 투표에 참여하는 것, 봉사 활동을 하는 것, 정부, 지방자치단체, 공공기관에 공공정책을 제안하는 것 등이 대표적인 예입니다.

하지만, 로컬리즘 시민성은 그러한 정치적인 활동에 국한되는 것이 아닙니다. 로컬리즘 시민성은 일상을 살아가는 로컬을, 정주인구의 측면에서 고유한 문화와 정체성을 만들어나가고, 그리고 교류인구의 측면에서 활동력 있는 도시로 탈바꿈해나가는 일에 동참하는 것이 로컬리즘을 통해 우리 동네를 행복한 지역으로 만들어나가는 지역사회 시민성의 발현일 것입니다.

"우리 지역에는 이 문제는 왜 생겼을까?"
"어떻게 해결하면 좋을까?"

지역사회의 시민으로서의 사회참여 활동은 결국 나와 친구, 가족, 이웃의 삶을 더 행복하게 바꿔주는 것입니다. 하수구에 쓰레기를 버리지 않도록 디자인을 바꾸거나, 분리수거함을 세 분화하여 설치하는 등 조그마한 변화가 세상을 바꿀 수 있습니다. 그렇게 되면 나뿐만 아니라 더 나아가 우리 모두의 삶을 그리고 우리 지역사회를, 더 행복하고 안전하게 바꿀 수 있을 겁니다.

우리가 살고 있는 동네의 도시 소멸을 막겠다는 취지로 SJCEF (SeJong Country Emergency Fund)를 결성하여 수많은 난관을 헤쳐나간 이야기, 청소년들이 직접 문제를 해결하는 청소년 사회참여활동을 지금부터 소개하고자 합니다.

청소년 로컬 파이오니어가 필요한 이유

청소년들이 사회참여를 하는 이유는, 때묻지 않은 생각으로 우리 사회를 바라볼 수 있기 때문입니다. 이해관계에 편중되지 않고 순수한 시선으로 주변을 바라보고, 행복한 마을을 만들 수 있는 힘을 갖고 있기 때문입니다.

나와 내 주변 문제, 더 나아가 내가 살고있는 지역에서 발생하는 환경 문제에 관심을 갖고 이를 해결하기 위해 작은 노력을 하다 보면 어느새 우리 동네, 우리 지구는 더 살기 좋아질 것입니다.

나아가 우리 사회도 기후위기로부터 극복하여 더욱 행복한

사회가 될 것이 분명합니다. 더 아름답고 행복한 세상을 만들기 위해 우리 지금부터 함께 환경 시민이 되기 위한 사회참여 활동을 시작해보는 것은 어떨까요?

청소년 로컬 파이오니어의 1년 커리큘럼

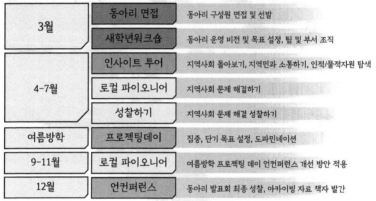

3월	동아리 면접	동아리 구성원 면접 및 선발
	새학년워크숍	동아리 운영 비전 및 목표 설정, 팀 및 부서 조직
4-7월	인사이트 투어	지역사회 돌아보기, 지역민과 소통하기, 인적/물적자원 탐색
	로컬 파이오니어	지역사회 문제 해결하기
	성찰하기	지역사회 문제 해결 성찰하기
여름방학	프로젝팅데이	집중, 단기 목표 설정, 도파민네이션
9-11월	로컬 파이오니어	여름방학 프로젝팅 데이 언컨퍼런스 개선 방안 적용
12월	언컨퍼런스	동아리 발표회 최종 성찰, 아카이빙 자료 책자 발간

MVP의 뜻을 아나요? 대부분 우리가 스포츠에서 즐겨 사용하는 그 용어를 떠올리고 말 것입니다. 하지만 여기서 말하고자 하는 MVP는 Minimum Viable Product의 약자로 직역한다면 '최소 요건 제품' 입니다. 최소한의 요건을 갖추고 있는 제품이라고 생각하면 될 것 같습니다.

우리 아이들은 누구나 전부가 주인공이 되어 민주시민으로 살아나갈 자격이 있습니다. 단 한 명의 MVP가 아닌, 모두의 MVP를 그려나갈 수 있도록 하는 것이 환경시민 사회참여동아리의 역할이자 임무입니다.

'The Lean Startup'의 저자 에릭 리스에 의하면 MVP는 최소한의 노력과 개발 공수로 완성할 수 있는 제품입니다. 예를

들어 오늘날의 스마트폰은 처음부터 지금의 모양을 갖고 있지
는 않았습니다. 계획을 세우고 조금씩 발전되어 왔습니다. 그
과정을 보면 개발 단계 초기의 제품은 단지 전화로의 기능만
수행했기에 소비자가 만족하기 어렵다고 판단이 되죠. 오늘날
점점 제품이 발전하면서 소비자의 만족도가 올라가는 것을 여
러분 스스로도 확인할 수 있을 것입니다.

즉, MVP의 목적은 문제에 대한 가설을 테스트하는 것입니
다. 이는 문제에 대한 우리들의 공공정책이 어떻게 받아들여질
지 평가해보는 것이죠.

MVP란 '실제 공공정책으로 효과가 있을까?'를 테스트하기 위
한 최소한의, 필수적인 과정인 셈입니다. MVP를 통해 시행착
오의 과정을 거친 뒤에 완성된 청소년의 공공정책은 우리 사
회를 또 한번 성장시킬 것입니다.

활동내용	3	4	5	6	7	8	9	10	11	12	1
동아리 구성 및 OT	➤					➤					
지역사회 들여다보기 (리포터 활동)	➤	➤	➤	➤	➤	➤	➤	➤	➤		
문제점 찾기	➤	➤	➤	➤	➤	➤	➤	➤	➤		
정책 /해결방안 토의		➤ 프로젝트①,②	➤	➤			➤ 프로젝트③,④	➤	➤		
뉴스 제작						➤				➤	
정책 공유 및 확산/실행				➤	➤				➤		
사회참여 활동 공유하기							➤	➤	➤		
책 출판하기										➤	➤

부서/역할 정하기

세 단계의 프로세스를 통해 진행될 수 있습니다. [만나다 →
나누다 → 이루다]의 세 단계로 진행되는 과정 속에서 문제를

발견하고 해결하고 성찰하는 활동을 수행하게 됩니다.

가장 먼저 OT시간에 환경시민으로서의 사회참여활동의 의미와 다양한 사례에 대해 안내하였습니다. 그 후 팀을 조직했습니다. 회장을 선출한 뒤, '기획부-총무부-영업/마케팅부-디자인부'로 나누어 희망하는 부서에 소속되었습니다. 조직표가 완성된 후 서약서를 쓰고, 임명장을 배부하여 활동에 적극성과 능동성을 고취하였습니다.

'만나다'
우리동네
문제점 찾기

'나누다'
해결방안 모색
/지역사회 협력

'이루다'
실행/
효과 분석

지도교사 : 박장순

기 획 부		총 무 부		영업/마케팅부		디자인팀	
최○혁	4색 중에 혁성에 해당 할 맞을 거 같아서	최○현	애민부터 자주 체험고 하고 싶기 때문이다	정○중	최개 특소론 자신잇다 그러나 실망 선생님이 학 솔 거버리기	신○현	그림 그리는 것을 좋아하여 관심 분야이기도 해요.
신○록	도전해보고 싶은 분야이기 때문이다	윤○간	돈 관리에 자신이 잇기 때문이고 해보고싶기 때문이다	정○운	꼼꼼한 성격을 가지고 체겁포적이 할 수 잇다 그러나 실망 선생님이 학 솔 거버리기	장○주	만들기를 좋아하기 때문이다.
정○한	친구들의 의견을 구체화해보고 싶기 때문이다	이○호	돈 관리를 해보고 싶다.	이○강	남는 거	총○옥	책을 어떻게 그리는지 구상하는 것에 자신 있다.
김○준	아이디어를 뽑내고 싶기 때문이다	임○호	예산 계획을 짜는 일괄로 해보고 싶기 때문이다	유○빈	축제 때 이 역할을 많이 받았기 때문이다	최○환	청소에 그림 그리는 것을 좋아해서 관심 분야이기도 하기 때문이다
		백○겸	초중학교 때 총은 기념장을 많이 선생님께 칭찬을 많이 받았고, 한번 해보고 싶어서 이기 때문이다.	장○민	사람이 만나는 활동에 자신있다.		

그동안의 교육과정 내 창의적체험활동 중 동아리 활동은 무의미한 활동에 그쳤습니다. 그저 시간을 떼우기 위한 방법으로 교실에 옹기종기 모여 영화를 보거나 아무것도 하기 싫어하는 학생들을 억지로 붙잡아놓고 활동을 시키거나, 자습을 시키는 시간에 불과했던 적도 많습니다.

이제는 아무것도 할 수 없다고 생각하는 아이들에게 무언가 할 수 있는 능력이 있다는 것을 깨닫게 해주기 위해 자율동아리를 내실있게 운영하기로 했습니다.

그렇게 처음 시작한 고민은 바로 수동적인 학습이 베어있는 아이들의 몸뚱아리에 "능동성을 불어넣는 방법이 무엇이 있을까?" 그리고 "무임승차하지 않고, 모두가 의미있는 활동을 하기 위해 어떤 것들이 필요할까?"를 고민했습니다.

그 답은 우리가 늘 그러했듯이 업무분장을 통해 각자의 역할을 주는 것이었습니다. 일반적인 직무구조와 사회참여동아리 활동내용을 고려하여 기획부, 총무부, 디자인팀, 영업/마케팅팀으로 구성했습니다.

그리고 아이들에게 각각의 부서들이 맡아야하는 역할에 대해 설명하고, 자신이 가장 잘하는 분야에 희망서를 제출하도록 하여 SJCEF 하나의 팀이 완성되었고, 소속감과 명예를 갖도록 만들기 위해 각자에게 별도로 임명장, 단체복, 명찰을 제공하였습니다.

'백지장도 맞들면 낫다.' 쉬운 일이라도 함께 하면 더 낫다는 속담인데요, 독일의 심리학자 막시밀리언 '링겔만'은 이런 현상을 '링겔만 효과'라 이름 붙였습니다. 링겔만은 집단에 속해 있는 개인의 공헌도를 측정해 보기 위해 줄다리기 실험을 실시했습니다. 그는 '시너지 효과'에 입각하여 "참여하는 사람이 증가할수록 개인이 발휘하는 힘은 좀 더 증가할 것이다"라는 가설을 세웠습니다.

그 결과 참여하는 사람이 1명일 경우, 100%의 힘을 발휘하여 줄다리기에 임했으나 2명이 되었을 때 각 개인이 발휘하는 힘이 약 93%까지 떨어졌고, 3명이 되었을 때는 85%까지 떨어지게 되었다고 합니다.

이러한 결과가 나오는 이유는 사람이 혼자 일 할 때는 누구도 자신을 대신할 수 없기 때문에 전력을 다 하지만 도와줄 사람이 있다면 그와 부담을 나누고 싶어져서 오히려 의욕이 저하되고 공헌도가 떨어지게 되기 때문이라고 합니다.

동아리 구성원 개개인에게 주어진 업무와 직함은 아이들을 좀더 능동적인 아이들로 변화시켜나갔습니다.

우리 동네 문제점 탐색

우선 가장 중요하다고 생각하는 지역사회 문제점을 찾아봤습니다. 문제점을 들여다보기 위해서 리포터 활동을 했습니다. 학생들이 등교하는 길, 하교하는 길에 마주친 모습들을 사진으로 찍어 제보하는 형식으로 진행하면 따로 시간을 내어 활동을 하지 않고도, 실제적인 문제를 살펴볼 수 있습니다. 그리고 그 문제에 대한 다양한 사람들의 반응을 듣고, 해결하기 위해 필요한 기관 단체를 조사했습니다.

"고래도 낯선 먹이는 뱉습니다." 즉, 문제를 선정할 때, 접근하기 어렵거나 범정부적인 큰 문제는 피해야합니다. 예를 들면, 남북의 통일, 무역 분쟁, 아프리카 기아 문제, 유전자 조작 식품 등과 같은 것들은 청소년 사회참여동아리의 수준에서 쉽게 접근하기 어려워 아이들을 포기하게 만드는 지름길입니다.

쉽게 접근이 가능한 우리동네 또는 우리 지방자치단체와 조율할 수 있는 문제로 한정하여 지역사회 유관기관과 협의하에 실천할 수 있거나, 조례에 반영할 가능성이 있는 문제를 선정하는 것이 좋습니다.

■ 여러분의 생활 또는 여러분이 살고 있는 지역과 밀접한 문제들을 선택하고 실용적이고 현실적인 공공정책을 수립할 수 있는지 사전에 토론하고 결정하세요.

■ 신문기사를 찾아보고 가장 시급하게 해결해야할 문제를 찾아봅시다.

■ 직접 경험한 지역사회의 문제는 어떤 것들이 있나요?

■ 선정한 문제점과 관련된 조사 활동을 계획해봅시다.

■ 우리가 찾은 문제를 주변 친구들에게 알리고, 얼마나 심각하게 받아들이는지 반응을 탐색해봅시다.

■ 문제점과 관련된 설문조사를 만들어 더 많은 사람들의 이야기를 들어봅시다.

■ 이 문제를 해결하기 위한 자원, 단체, 기관 등을 탐색해 봅시다.

 대안정책 조사

앞서 선택한 문제점을 해결하기 위해 관련 유관기관(시청, 구

청, 복지관, 도서관 등)이 고안해서 실행 하고 있는 정책, 또는 시민사회단체들이 제안하고 있는 정책들이 있는지 살 펴봅니다. 그리고 이들의 정책이 갖는 장점과 단점을 논의합니다.

■ 관련 행정기관과 시민사회단체 외에도 책, 신문기사, 인터넷 정보, 전문가, 지방의회 의원 또는 국회의원 등을 통해 최선의 정보를 얻을 수 있는 정보원을 찾습니다.

■ 정보원에게 정보를 얻고자 할 경우 전화, 이메일, 방문 인터뷰, 편지 등 관련 정보를 효과적으로 얻을 수 있는 방법을 찾습니다.

■ 이 문제를 해결하는 데 있어 이해관계가 엇갈리는 경우 이견이 있는 개인과 단체의 설명을 충분히 조사합니다.

공공정책 만들기

"우리의 꿈은 명사형이 아니라 동사형입니다!"

앞선 단계를 통해 문제점과 그 문제를 해결하기 위해 시도되고 있는 여러 정책과 제안들을 살펴본 후, 우리들이 직접 만드는 더 효과적인 치료법을 만드는 단계입니다.

공공정책은 기존의 정책과 다른 창의성과 독창성을 겸비해야 하지만, 이에 앞서 실현가능성, 가치성, 비용 등을 고려해야 합니다.

- 기존에 실시되고 있는 정책들 중에서 PMI 기법을 활용하여 새롭게 정책을 재구성할 수 있는 방안이 있나요?
- 새롭게 만든 정책의 실현가능성과 가치성, 비용 등을 따져봅시다.
- 여러분들이 만든 정책을 효과적으로 운영하기 위해 어떤 기관과 단체들이 필요한가요?
- 우리의 공공정책이 다른 사람들 또는 다른 법률을 위배하지 않나요?
- 우리가 만든 공공정책은 장점과 단점은 구체적으로 무엇인가요?

공공정책 실천 및 정책 제안하기

문제점을 해결할 최선의 치료법이 만들어졌다면 이제 높이 비상할 차례입니다. 필요하다면 공공정책 실현과 관련이 있는 유관기관을 선정하고 설득하여 이 정책이 실행될 수 있도록 협의하는 과정도 필요합니다. 또한 우리들의 공공정책을 주변 사람들에게 홍보하여 많은 사람들의 지지를 받아 지속적인 정책으로 자리잡게 하는 것도 중요합니다.

- 업무협약 체결하기 - 우리의 힘만으로 이뤄내는 것도 좋지만 앞으로 지속적으로 영향력을 끼쳐나가기 위해서는 유관기관과 업무 협약을 맺어 힘을 얻는 것이 좋습니다.
- 우리가 만든 정책에 반대는 집단을 설득하여 지지를 획득해야 합니다.
- 다양한 홍보 방법을 실천해 봅시다.
  SNS(인스타그램, 페이스북 등)를 활용하는 방법과 지역 맘카페를 활용하는 방법 등이 있습니다.

평가하고 개선하기

활동 단계별, 프로젝트별, 분기별, 학기별 평가회를 실시합니다. 우리들은 활동 중 잘한 점(P), 부족했던 점(M), 흥미로웠

던 점(I)을 이야기 나누었습니다. 이렇게 나눈 이야기들은 프로젝트의 효과성을 극대화 시킬 수 있는 자양분이 되었고, 우리가 나아가야할 길의 흐름을 잃지 않게 하는 반딧불이가 되어주었습니다.

신뢰서클의 형태로 둥글게 모여 앉아 활동 내용에 대해 형식에 구애받지 않고 자신의 이야기를 나누게 합니다.

먼저 잘한 점(P)은 자신이 잘했던 일, 우리가 잘했던 일, 주변에서 도움을 주었던 사람 등을 이야기해보는 것이 좋았습니다.

다음으로 부족했던 점(M)은 우리들이 문제에 봉착했던 순간들, 도움이 필요했던 순간들, 실수했던 것들 등을 이야기 합니다. 성공에는 단점과 약점이 있다는 것을 알려주는 것이 지도교사의 역할일 것입니다.

마지막으로 흥미로웠던 점(I)은 활동의 순간들을 행복한 추억으로 머릿속에 저장할 수 있도록 돕습니다. 힘든 순간들이 많았음에도 불구하고 흥미로웠던 일들에 대한 동료들의 이야기를 들으며 다음 프로젝트를 더 멋지게 해낼 수 있겠다는 다짐을 하는 계기가 되었습니다.

■ 활동 단계별 평가

부서별 채팅방을 통해 활동 중 잘한 점(P), 부족했던 점(M), 흥미로웠던 점(I)을 이야기 나누었습니다.

■ 프로젝트별 평가 / 분기·학기별 평가

각 프로젝트의 효과성을 설문조사를 통해 확인하고, 부족한 부분을 개선하기 위한 의견을 모았습니다.

 운영의 흐름

TEAM Building	동아리 오디션, 동아리 조직, 동아리 비전을 설정하는 단계입니다. 사회참여동아리와 함께 한 해를 살아가기 위한 가장 중요한 단계입니다. 오디션을 통해 민주시민으로서의 활동에 포부를 갖고 있는 친구들을 선발하고, 동아리 부서를 조직한 후, 한 해 동안 함께 바꿔나갈 우리 마을의 모습을 상상하는 시간을 가졌습니다.
Explore① 문제탐색	브레인스토밍을 통해 우리 마을의 문제점을 찾는 단계입니다. 이때, 자유로운 소통을 할 수 있는 친구들과 모둠을 구성하여 자신의 경험, 인터넷 자료 등을 통해 문제점에 대해 이야기나눌 수 있도록 했습니다. 이후에 문제점을 구체화하기 위해, 설문지를 제작하여 설문을 받거나 지역민 인터뷰를 위해 길거리로 나갔습니다. 또한 문제점을 관찰하기 위해 문제점이 있는 곳으로 인사이트 투어를 나가기도 하였습니다.
Explore② 대안정책 조사	탐색한 문제점의 우선순위를 선정하여, 우선순위에 따라 대안정책을 탐색하였습니다. 문제를 해결하기 위해 실시되고 있는 각종 정책과 해결 방안에 대해 조사하였습니다. 국내의 사례가 부족한 경우에는 해외의 사례를 참고하여 대안 정책 탐색의 폭을 확장할 수 있도록 안내하였습니다. 또한 ChatGPT와 같은 LLM 기반의 AI를 적절하게 활용하여 문제 해결 사례들을 풍부하게 탐색할 수 있도록 안내하였습니다.
Persuade 공공정책 구상	문제점으로 선정한 사안에 대해 현재 시행되고 있는 해결 방안보다 더 효과적인 공공정책을 구상하는 단계로, 공공정책 내용과 함께 세부 실행 계획까지 수립해나가도록 안내하였습니다.
Acting 실천 및 제안	세부 실행 계획을 수립한 이후 직접 실천하고 정책 담당 기관에 정책을 제안하는 단계로 운영하였습니다. 이 과정에서 지도교사는 필요한 인적 자원 및 물적 자원을 확보할 수 있도록 돕는 역할만 수행하고 실제적인 활동은 학생들이 집단지성으로 모두 해결해나갈 수 있도록 안내하였습니다.

활동 주제

사회적 약자 친화 도시	- 홀몸노인 주거 환경 개선을 위한 기부팔찌 팝업스토어 운영 - 장애인 야간 통행권 보장을 위한 태양광 가로등 및 빛반사 스티커 - 등굣길 횡단보도 우회전 차량을 세워요! - 하수구는 쓰레기를 원하지 않아요! - 사회적 약자를 위한 키오스크 - 노약자를 위한 횡단보도	- 외국인 노동자를 위한 도서관 - 장애인 편지 대신 써드립니다! - 후원을 위한 좋은 이웃 플리마켓 - 수화 유튜브 책 읽어주기 - 버스/택배 기사 등 처우 개선 - 노인/학생 등 사회적 약자 인권 선언문 - 노인 놀이터

환경 친화 도시	- 반환경어택
	  (빨대, 수세미, 이메일 어택)
	- 우리 동네 플로깅: 세이브 더 우리 동네
	- 재활용 '더 분리수거함' 설치
	- 환경보드게임, 환경 MBTI 캠페인
	- 얼음골 사과 기후변화 영향 측정
	- 플라스틱 방앗간 - 업사이클링
	- 가로수 지도 제작
	  (시민 결연, 지역별 식목일 조례)
	- 밀양 친환경 지도 만들기
	- 쓰지 않는 에코백 가식은 그만
	- 유물대회 : 가장 오래 쓴 물건
	- 식자재 재활용 공유 냉장고 정책
	- 밀양 툰베리 - 하수구 그림
	- 재사용 택배박스 제작 및 회수
		- 식당 잔반 줄이기
		- 플로깅, 쓰레기 지도
		- 의류 재활용 샵 : 다시 봄
		  (패스트패션 문제)
		- 환경참정권
		- 환경보호 젠가 보드게임 만들기
		- 캔 분리수거 방법 게임 뿅망치
		- 보행자도로 배터리 설치 : 압전
		- 버려지는 마스크 리사이클링 안내 자료 제작
		- 대기전력을 잡아라(한국전력 협조)
		- 교과서 물려쓰기 장려운동
		- 영수증 버려주세요 No!
		- 생물종 다양성
		- 산타파업 : 과포장 상품 사지 않기

문화 친화 도시	- 지역문화 해설사(그라제) - 다문화 정책 - 우리 동네 부루마블 - 우리 동네 추억 저장소 - 전통시장 살리기 - 토박이말, 고유어 사투리 굿즈 - 전통시장 굿즈 팝업스토어	- 관계 인구 시민증 - 전통시장 유휴건물 공유 주방 - 언어순화 프로젝트 - 우리 동네 글자 폰트 만들기 - 공정여행/독립운동가 후손 주거개선 - 일상어 사전 만들기 - 폐건물 및 유휴건물 도시 재생

제 3의 공간
RE-branding
프로젝트

" 정겨운 장소에 머물고 싶어라 "
(The Great Good Place)

▌ RE-branding project ▌

제 3의 공간, 제 3의 안식처를 만들자.

원래 '브랜드'의 어원은 북유럽으로, 가축에 불로 낙인을 찍어 소유자를 증명하던 풍습에서 유래했다고 합니다. 제품과 서비스를 경쟁사와 비교해 차별화하고 아이덴티티를 부여해 소비자의 마음 속에 낙인 효과를 일으키는 행위를 '브랜딩'이라고 정의한 것이죠. 우리의 리브랜딩 프로젝트는 지역사회 및 관계 인구의 기호나 취향, 환경의 변화 등을 고려하여 우리 동네만의 새로운 정체성을 만드는 것입니다.

제 3의 공간이란?

'제3의 공간'과 관련하여 저명한 학자의 두 가지 관점이 있습니다.

첫째, 레이 올든버그가 그의 저서 『The Great Good Place』에서 서술하고 있는 바와 같이 사회학적 관점, 관계지향적 관점에서 바라보는 "제3의 공간'입니다. (이 책은 우리말로 『정겨운 장소에 머물고 싶어라(The Great Good Place)』- 창조의 공간으로 새롭게 태어나는 '제3의 공간'으로 번역 출판되었다)

다른 하나는 크리스안 미쿤다의 저서 『Brand Lands, Hot Spots & Cool Spaces』에서 서술하고 있는 연출마케팅 관점의 제3의 공간입니다. 이 둘의 관점은 분명히 다르지만 어떤 면에서는 같은 지점을 바라보고 있습니다.

먼저, 올든버그는 사회학자답게 현대사회에서 사람들의 관계단절에 주목합니다. 그는 그의 책 제1장 서두에서 "미국인 개개인의 삶을 아우르는 울타리가 되어주었던 '작은 마을(small town)'에 대한 향수가 '마을' 자체에 대한 것이라기보다는 (Robert Nisbet가 주장한) 공동체의 추구(quest for community)"이라고 보았던 맥스 러너(Max Lerner, America as a Civilization, 1957)의 글을 인용하면서 "미국 사회에서의 공간 문제는 아직 해결된 것이 아니며, 미국인들의 삶이 점점 더 예민해지고 파편처럼 흩어지게 되었다고 설파하고, 아직까지 새로운 형태의 통합적인 공동체가 나타나지 않았다고 주장

합니다.

올든버그는 사람들의 주거 공간인 가정을 제1의 공간, 일을 하는 공간인 직장을 제2의 공간으로 규정하고, 그 다음으로 인간에게 꼭 필요한 소통의 공간, 작은 공동체가 공유하는 공간을 '제3의 공간'이라고 규정합니다. 형식이나 격식을 차리지 않아도 되고, 일상 속에서 자연스럽게 가까워진 사람들을 만나는 대화와 소통의 공간이 곧 '제3의 공간' 즉, 정겨운 장소라는 것입니다.

올든버그가 '제3의 공간'으로 명명한 장소들은 동네의 카페, 커피숍, 서점, 주점, 이발소나 미용실과 같이 동네 중심에 자리하고 있는, 그곳에 가면 언제든 가까운 사람을 만날 수 있는, 쉽게 말하자면 **끼리끼리 모이는 본거지**(hangout) 같은 곳입니다. 자신들만의 장소를 가지고 있고, 그런 곳을 드나들며 사는 사람들은 그렇지 않은 사람들보다 사교적 지능이 발달해 교양이 있고, 또 한편으로 **강한 연대감**을 느끼기 때문에 행복도도 높다진다고 한다.

올든버그는 매일 저녁 해질 무렵 동네 노인들이 모여드는 작은 우물이 있는 광장(Piazza, 이탈리아), **영국과 아일랜드 마을** 골목마다 자리하고 있는 주점, 프랑스의 카페(Café)나 작은 레스토랑(Bistro), 오스트리아 빈의 커피하우스(Kaffeehaus) 같은 장소가 '대표적인 제3의 공간'이라고 말합니다.

올든버그 강조하고 있는 것은 인간미와 정 같은 '**사람들의**

관계'입니다. 그러므로 그곳에는 가식과 허구가 자리잡을 수 없습니다. '자연스러운 인간과 인간의 관계'와 '상호성 및 소통'이 '제3의 공간'만이 존재할 수 있습니다.

올든버그는 인위적으로 분위기를 연출해 상품을 파는 미국의 쇼핑몰이나 패스트푸드 가게들을 '마케팅 지상주의자들의 지나치게 타산적이고 유치한 문화'라고 대놓고 비난합니다. 그런 곳들은 부정적 이질감이나 상대적 박탈감을 주기 때문에 '집처럼 편안'하지 못하다는 것입니다.

다음으로, 크리스티안 미쿤다는 앞글에서 살펴본 것과 같이 '공간의 연출'을 강조합니다. 제1의 공간인 집마저도 집주인을 드러내는 '연출된 주거 공간'으로 규정하고, 제2의 공간인 직장에서도 '편안한 환경'을 강조합니다. 이제는 일터마저도 어느 정도까지는 '연출된 주거 공간' 역할을 해야 한다는 것이다. 이러한 주장을 펼치기 위해 그는 환경이 조성된 일터가 더 생산적이라는 연구 결과를 곁들인다. 미쿤다는 1980년대에 들어 감각적 체험을 강조하는 마케팅이 등장하면서, 상점이나 식당을 '연출'하고, 미술관을 개조하고, 체험이라는 설렘을 갖게 하는 호텔이 세워짐으로써 비로소 사람들이 대중적인 공간을 개인의 공간처럼 느끼기 시작했고, '제3의 공간' 개념이 등장했다고 주장한다. 그렇게 '연출된 공간'이 도시에서 살아가는 사람들에게 활력소가 되었다는 것이다.

미쿤다는 공간의 개념에 '연출'을 결부시킨다. 사람들이 '집처럼 편안하게 느끼는' 공간이라야 가치가 있다고 보는 것이다. 그렇다고 해서 레이 올든버그의 제3의 공간 개념을 부정하는 것은 아니다. 다만 제3의 공간이 자연스러워야만 한다는 올든 버그의 주장에 '연출'이라는 기법을 동원하는 것이 다를 뿐이 다. 왜냐하면 더 이상 올든버그가 극찬했던 '정겨운 장소 (Great Good Places)'는 우리 주변에서 찾아볼 수 없기 때문 이다. 이제는 세월이 바뀌었다.

결국 우리가 여기에서 고민해야 하는 '제3의 공간'은 '공동체 의 가치를 지향하면서 개인들에게 편안함, 짜릿함, 교육에 보 탬이 되는 체험을 선사하는 공간으로서 누구나 쉽게 편안한 마음으로 찾을 수 있는 공간'으로 자리매김할 수 있는 그런 공간이어야 한다는 것이다.

▓ 우리 마을이 제 3의 공간이 된다면?

미국의 도시사회학자인 레이 올든버그Ray Oldenburg는 'The great good place'에서 현대사회가 갖는 고독감이나 소외감의 문제를 해결하기 위한 방안의 하나로 제3의 공간에 대한 중요 성을 강조했다. 그는 "삶의 첫 번째 공간인 집과 가정, 삶의 두 번째 공간인 일터에 이어 목적없이 다양한 사람들이 어울 릴 수 있는 삶의 세 번째 공간, 즉 비공식적인 공공생활이 일 어나기 위해 필요한 공간이 제3의 공간이 된다."고 이야기했 다.

third places(after home, first, and workplace, second) and these are informal public gathering places. These places serve community best to the extent that they are inclusive and local(1989, p. xvii).

1인 가구가 지속적으로 증가하고 있는 우리 사회에서 제3의 공간이 갖는 의미가 크다고 할 수 있다. 레이 올든버그(Ray Oldenburg)가 1980년대 목격한 미국 사회에서 나타난 부작용을 오늘날 우리 사회도 마주하고 있기 때문이다.

최근 함께 공유하는 것을 목적으로 하는 코리빙, 코워킹 스페이스와 같은 공유 플랫폼이 전국적으로 확산되고 있다. 공간만이 번듯하게 자리잡는 것이 아니라, 사람들 간의 사회적인 상호작용, 사회적 관계(social interaction)가 필수적으로 수반되어야 실질적인 제3의 공간이 될 수 있다. 제3의 공간은 다음의 8가지 특성을 갖고 있다.

- On Neutral Ground(중립성) : 특정 개인에게 편향된 공간이 아닌 모든 이용자가 행동적으로나 심리적으로 중립을 지키도록 유지함으로써 더 가치있고 다양한 모임 형성이 가능하도록 하는 공간
- The Third Place Is a Leveler : 모든 계층의 사람들이 방문하고 즐길 수 있는 공간
- Conversation Is the Main Activity : 대화의 공간
- Accessibility and Accommodation : 이용자의 거주지로부터 가까우면서 제1 혹은 제2의 공간에서의 부여되는 책임감으로부터 자유할 수 있는 공간
- The Regulars: 정기적인 이용자, 즉 단골손님들로 인해 생동감이 넘치는 공간
- A Low Profile : 특별하지 않은 평범한 일상의 공간
- The Mood Is Playful : 이용자들에게 즐거움을 주는 공간
- A Home Away from Home : 제1의 공간인 집과 가정에서 벗어난 공간이지만, 제1의 공간이 주는 사적인 공간과 같은 편안하고 따뜻함을 주는 공간

RE-Branding : [우리 마을 + 제 3의 공간] 결합하기

모두가 큰 마음을 먹지 않아도, 자유롭게 드나들 수 있는 공간, 그리고 남녀노소를 가리지 않고 편안하게 느낄 수 있는 평범한 일상의 공간, 그리고 즐거움과 따뜻함이 공존하는 공간.

그러한 공간은 어떤 공간일까에 대한 탐색부터 시작해서, 그러한 마을이 되기 위해서는 우리 마을이 어떤 모습이어야 하는가에 대해 고민했다.

그렇게 만들어진 우리 마을이 제 3의 공간이 되는 마법같은 주문은 다음과 같다.

> ## "환대, 연결 연대"

제3의 공간 RE 프로젝트란 타지역에 거주하는 사람들이 언제나 편안함과 따뜻함을 느낄 수 있는 공간으로 인식하여 관계인구가 되고, 생활인구가 되도록 만드는 것을 말한다. 즉 경계인이 아니라 관계인이 되도록 만드는 것이 목적이다. 이 프로젝트는 작게는 캠페인 활동부터 크게는 직접 프로토 제품을 만들고 시판 제품을 생산하여 판매하는 프로젝트까지 다양하게 진행될 수 있다.

환대	네비게이션 / 포털 검색량 늘리기 우리 동네 친근함 이미지 / 신뢰 쌓기
연결	인간-인간 연결하기 : 관계인구친화도시, 노인친화도시 인간-환경 연결하기 : 꿀벌쉼터, 환경친화도시
연대	공동체성 확립하기

RE-Branding 프로젝트 실행과정

주제 탐색과 선정 → 프로젝트 일정과 계획 세우기 → 프로젝트 실행하기 → 프로젝트 결과 발표하기 → 프로젝트 평가와 마무리하기

- 주제 탐색 및 선정하기

주제를 탐색할 때에는, 사진이나 신문 기사 등 자료를 검색하여 프로젝트 주제를 탐색해 본다. 주제는 일상생활이나 학교생활에서 찾을 수도 있고, 지역 사회에서 찾을 수도 있다. 또 자유 토론을 하거나 점검표를 만들어 찾아 볼 수도 있고, 환경 기념일을 검색하여 주제를 탐색하는 방법도 있다.

❶ 우리 모둠의 프로젝트 주제를 적어 보자.
❷ 위와 같은 프로젝트 주제를 선정한 까닭을 적어 보자.
❸ 이 프로젝트의 진행 기간은 어느 정도인지 예상하여 적어 보자.
❹ 이 프로젝트에서 나올 수 있는 결과물은 무엇인지 예상해보자.
❺ 이 프로젝트와 관련하여 예상되는 장애 요인이나 문제점을 적어 보자.

또한 프로젝트 주제는 모둠원의 자유로운 토의를 통해 정한다. 주제를 정할 때는 우리 학교나 지역에 꼭 필요한 것으로 정하도록 애쓰며, '푸른 지구 만들기'와 같이 너무 크고 일반적인 주제를 정하면 구체적인 활동으로 연결하기 어려워질 수 있으므로 유의한다. 또한 프로젝트의 주제에 모둠원이 흥미를 느끼지 못하면 진행이 어렵고, 모둠원끼리 활동 시간과 여건이 맞지 않을 수도 있으므로 여러 가지를 꼼꼼히 챙긴다.

점 검 항 목
주제는 평소 흥미와 관심을 갖고 있던 것인가?
주제를 정확하게 이해하고 있는가?
도전할 만한 가치가 있는 주제인가?
프로젝트를 수행할 기술과 시간적 여유가 있는가?
의문 해결을 위해 스스로 탐구를 설계하고 수행할 수 있는가?
자신과 사회의 시각에서 환경적 가치가 있는 주제인가?
진행 과정에 필요한 자료와 자원은 주변에서 구할 수 있는가?
협력과 의사소통을 촉진할 수 있는 주제인가?
다양한 탐구 방법과 표현 활동이 가능한 주제인가?

- 일정 및 계획짜기

프로젝트의 주제가 정해지면 주제를 효과적으로 수행하는 데 필요한 지식과 기능이 무엇인지 생각하고, 전체 일정을 계획한다. 프로젝트의 주제에 대해 현재 모둠원이 알고 있는 지식과 기능도 파악한다.

주제를 선정하며 토의한 내용이나 다른 교과에서 배운 지식, 다양한 매체를 통해 알고 있는 내용을 정리하면 프로젝트 진행의 효율성을 높일 수 있다. 일정표를 짜면 단계별로 해야 할 일을 쉽게 판단할 수 있다.

- 실행하기

프로젝트 실행 단계에서는 정보를 탐색하고 수집하여 다듬은 뒤, 실천을 위한 활동을 해 나가야 한다. 수행 과정에서 여러 가지 어려움을 해결하면서 겉으로 드러난 환경 문제가 아닌,

문제의 해결을 가로막고 있는 사회·정치 문제와 마주칠 수도 있다. 환경 프로젝트만으로 해결될 수 없는 구조적인 문제점이 있을 수도 있기 때문이다. 하지만 이러한 활동을 통해 필요한 법을 제정하거나 국가적인 해결책을 요구하는 움직임을 만들어 낼 수도 있다.

- 평가하기

프로젝트의 평가는 모둠의 의사 결정과 실행 과정 전체를 평가하는 중요한 과정이다. 결과보다 과정 중심, 교사보다 학생 중심, 개인보다 모둠 중심의 평가가 되어야 한다. 그리고 지식보다 지식을 포함한 기능과 태도를 통합적으로 평가해야 한다.

성 찰 항 목
❶ 내가 한 역할과 기여한 점은 무엇인지 구체적으로 적어 보자.
❷ 어려웠던 점은 무엇이며, 이를 개선할 방법은 무엇인지 적어 보자.
❸ 내가 배운 것은 무엇인지 적어 보자.
❹ 새롭게 알게 된 나의 장단점, 느낀 점을 적어 보자.

우리 동네는 고령화 사회, 밀양 산불, 도시 소멸 등의 키워드로 도출될 수 있는 향후 30년 안에 사라질 수 있는 도시에 손꼽히고 있습니다. 내가 살고 있으며, 우리 부모님, 우리 할아버지가 살아온 터전이 사라진다는 것은 우리 동네에서 쌓아온 문화 자체를 잃는다는 의미와 일맥상통합니다. 이러한 문제상황 속에서 우리 동네를 지켜내기 위한 우리 동네 방위대가 되기로 자처하게 되었고, 총 세 가지의 활동 목표를 수립하여 활동을 실시하였습니다.

첫째, 밀양 산불 등 각종 환경 문제와 관련하여 우리 동네 고유의 자연을 보전하는 것입니다. 지속가능한 우리 동네에는 인간과 자연이 동시에 지속가능성을 보장받을 수 있어야 하기 때문입니다.

둘째, 사회적 약자와 함께 어우러지는 우리 동네 DNA를 만드는 것입니다. 초고령화 사회에 진입한 만큼 사회적 약자와 함께 고민하고 문제를 해결해나가는 것이 지속가능한 밀양을 만들어나갈 것입니다.

셋째, 타 지역 사람들에게 우리 동네의 문화를 알리는 것입니다. 현재 실시되고 있는 각종 인구 유입 정책들은 일시적인 효과일 뿐 지속적인 효과를 내지 못한다는 한계를 갖습니다. 우리는 방향을 바꿔보기로 했습니다. 다른 지역 사람들이 우리 동네로 와서 시간을 함께 보낸다면, 우리 동네의 활력을 되찾고 우리 동네의 지속가능성을 높일 수 있을 것이라고 판단했습니다.

이러한 목표는 결국 밀양을 지속가능한 도시로 계속 살아있도록 하는 힘의 원천이 되어줄 것이라 믿었고, 우리는 그 목표를 달성하기 위해 하위 프로젝트를 설계 및 실시하고 공공정책을 제안하는 등의 활동을 진행해 왔습니다.

참고자료·문헌	
제3의 공간을 바라보는 두 개의 관점(제이 오브라이언)	2022인구감소지역 빅데이터 분석 및 관광 중심 대응방안 연구
작지만 강한 연결 - 관계인구를 활용한 인구유입방안	인구감소시대의 지역활성화와 지방분권
도전.한국 국민주도형 작은연구 최종보고회	지역활력 증진과 '관계인구' 활용
100세 시대, 도농상생의 농산어촌 유토피아 실천모델 연구	지방소멸대응을 위한 관계인구 활용전략

위 참고 자료를 바탕으로 청소년들이 발췌 및 재구성하였음을 알려드립니다.

인간-인간
'환대'

▌ Local RE-branding ① ▌
지역민과 관계인구, 생활인구가 한 자리에

기억하는 동네

환대하는 동네

다시 찾는 동네

로컬 파이오니어 프로젝트

2023년, SJCEF는 활동 기획 배경 및 동기

매년 동아리 면접을 통해 선발된 SJCEF 동아리 구성원들은 첫 만남에서부터 진취적으로 우리 마을을 위해 실천할 동아리 비전을 수립하게 됩니다.

▲ 부서별 회의 장면

▲ 소통협력센터 센터장 초청 질의응답

올해의 경우에는 우리 동네와 관련한 키워드로 '문화도시', '도시소멸', '꿀벌', '전통시장'을 선정하여, 「Too BE(E) Continue by pioneer」를 비전으로 설정하였습니다. 우리가 개척자가 되어 밀양을 앞으로 지속가능한 동네로 바꾸자는 취지로 선정되었습니다.

비전을 설정한 이후에는 각자가 자신있고 하고 싶어하는 진로에 따라서 직렬과 팀을 구성하였습니다. 그리고, 프로젝팅데이를 만들어 자료를 탐색하거나 인사이트 투어를 떠나거나, 지역민들에게 설문조사를 실시했습니다.

그리고, 탐색한 문제점에 따라 해결방안을 고민해나가기 시작했습니다. 해결방안을 탐색해나가는 과정에서 우리 스스로 해결하지 못한 문제점들은 지역 내의 전문가를 섭외하여 고민을 나누었습니다. 행정안전부 [지역거점별 소통협력공간 조성 및 운영]의 일환으로 지역혁신 생태계 조성사업을 추진하고 있는 밀양소통협력센터의 센터장과 경남소상공인연합회 회장님을 모셔서 인터뷰를 진행하고 그동안 진행해온 고민들을 나누기도 하였습니다. 이런 과정들을 거치며, 청소년들이 할 수 있는 가장 최고로 멋진 일들을 기획하고 실천해나갔습니다.

구분	활동 비전	활동 내용	비고
도시소멸	relation population pioneer	■ 전통시장 매개 관계 인구 증진 프로젝트 -굿즈 제작 및 팝업스토어 운영 -AI 활용 전통시장 관광 앱 제작 정책 제안 ■ 관계인구 시민증 정책 제안 -관광, 시설이용 등에 필요한 관계인구 시민증을 발급하여 밀양을 제3의 공간으로서의 지역공동체로 인식하도록 유도하기 위한 정책	직접 실천형 + 정책 제안형
꿀벌소멸	to bee continue	■ 꿀벌 쉼터 무료 나눔 -밀원식물 씨앗, 화분, 압축배양토를 나눔 -가정의 베란다, 화단이 꿀벌의 쉼터가 되도록 하여 농업 도시인 우리 동네의 꿀벌 소멸을 예방하고자 함. ■ 파크 골프장 농약 피해 인식 캠페인 -밀양의 파크 골프장 이용객의 경우, 타지인이 월등히 많은 편임 -파크골프장 운영으로 인해 피해를 보는 꿀벌에 대한 문제를 인식시키고자 피켓 캠페인 진행	캠페인형

 어떤 일들을 했는지 구체적으로 말씀해주실 수 있나요?

① 프로젝팅 데이 및 인사이트 투어 운영

▲ 프로젝팅 데이 : 지역민 설문조사

▲ 프로젝팅 데이 : 지역민 설문조사

지역사회의 소멸과 관련하여 지역민들의 인식을 확인하고, 문제의 우선순위를 결정하기 위해 지역민(약 200명)들을 대상으로 설문조사를 실시하였습니다. 동아리 내부 회의에서, 다양한 계층의 의견을 묻는 것이 중요할 것 같다고 결정이 났고, 연령대 및 업종(자영업, 공무원, 회사원 등)을 골고루 설문조사로 실시하기 위해서 동네 이곳저곳을 누비며 다닌 기억에 벌써 숨이 차는 것 같습니다.

설문조사를 실시하기 위해서 기획팀에서 설문조사지를 제작하고, 설문조사 결과를 총무팀에서 분석하였습니다. 그 결과를 토대로 동아리 전체 회의를 통해 해결하고자 하는 문제의 우선순위를 선정하고, 프로젝트 세부 계획을 수립해나갔습니다.

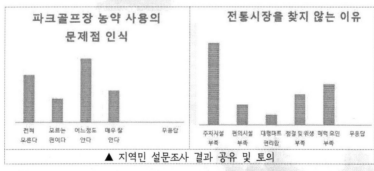

▲ 지역민 설문조사 결과 공유 및 토의

▲ 부서 전체 회의

② 관계 인구 증진을 위한 전통시장 굿즈 제작

 전통시장의 소멸을 막고, 도시 소멸로부터 우리 동네를 지켜
내기 위해, 관계 인구를 증진하기 위한 공공정책을 구상하였습
니다. 우리 동네가 갖고 있는 문화의 저력은 크지만, 사람들에
게 매력적인 요인으로 다가가지 못한다는 점을 문제점으로 포
착하였습니다. 우리가 가진 문화적인 저력도 발산하면서 사람
들을 끌어들일 수 있는 방법은 무엇일까에 대해 고민하다 「환
대, 연결, 연대」의 세 가지 키워드를 떠올리게 되었습니다. 이
키워드를 바탕으로 하나씩 문제 해결방안을 모색해나갔습니다.
 첫 번째 해결방안으로, 각 연령층을 아우를 수 있는 매력적
인 굿즈를 직접 디자인하고 제작하였습니다. 굿즈를 제작하는
단계에서는 각 연령층의 설문조사를 통해 가장 매력적으로 느
끼는 굿즈를 선별하여 제작하였습니다.

| ▲ 전통시장 후드티 굿즈 | ▲ 전통시장 약도 스티커 굿즈 |

| ▲ 전통시장 장바구니 굿즈 | ▲ 전통시장 키링 굿즈 |

③ 관계 인구 증진을 위한 전통시장 팝업스토어 운영

저희의 활동은 단순히 전통시장을 활성화시키자는 취지의 활동이 아니었습니다. 우리 동네 지역민들은 우리 동네 전통시장을 다른 지역 사람들에게 알리는 문화 홍보대사로 역할하도록 만들며, 타 지역 사람들에게는 매력요인을 통해 우리 동네로 끌어들이고자 하는 목표를 갖고 있었습니다.

▲ 밀양 아리랑 시장 「유퀴즈」 챌린지 캠페인 : 시장 문화홍보대사가 되어주세요!

▲ 밀양 아리랑 시장 「유퀴즈」 챌린지 캠페인 : 시장 문화홍보대사가 되어주세요!

먼저 우리 지역민들의 문화 홍보대사로서의 역할을 하도록 하기 위해 인식 고취 캠페인을 진행하였습니다. 퀴즈 활동, 인터뷰 활동, 밀양 시장 아지매 폰트 홍보 활동 등을 진행하였습니다. 또한 제작된 굿즈를 판매하여 관계 인구를 증진시키기 위해 팝업스토어 데이를 홍보하고 실제 시장 상인회 협조를 얻어 팝업스토어를 열었습니다.

▲ 팝업스토어 홍보 활동

이 밖에도, 타 지역 사람들이 밀양 아리랑 시장을 더욱 친숙하게 느끼고 찾아오도록 만들기 위해 밀양 아리랑 시장 아지매 폰트 제작 활동을 진행하고 있습니다.

▲ 전통시장 팝업스토어 활동

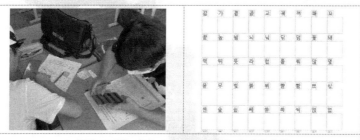

▲ 밀양 아리랑 시장 아지매 폰트 만들기 기획 활동

▲아지매 폰트 제작을 위한 글씨체 수집

④ 꿀벌 소멸을 막기 위한 꿀벌 쉼터 프로젝트

농업 도시인 우리 동네에게는 인구 소멸 뿐만 아니라, 꿀벌의 소멸 또한 큰 문제점으로 지적되었습니다. 그래서 문제의 원인을 분석하던 중, 도시민들의 이기적 문화가 문제의 원인이라고 포착하였습니다.

그래서 도시민들이 꿀벌 소멸의 문제점을 인식할 수 있도록 농약 살포와 관련한 내용을 시청에 문의하여, 리포터 활동을 진행하고, 시민들에게 관련 내용을 바탕으로 캠페인 활동을 진행하였습니다.

이후에는 각 가정에 꿀벌의 쉼터를 조성하자는 취지로 밀원 식물 화분을 무료 나눔하였습니다.

▲ 파크골프장 캠페인 진행　　▲ 농약 살포 인사이트 리포터 활동

▲ 꿀벌 쉼터 무료 나눔 활동

활동 성과는 어땠는지 구체적으로 말씀해주실 수 있나요?

① 우리의 정책을 알리고 나누다

도시 소멸과 관련하여, 인구 소멸과 꿀벌 소멸에 대한 문제 탐색과 실천 과정에서 아이디어를 얻은 내용들을 관련 기관 홈페이지에 게시하여 제안하였습니다. 또한 관련 기관의 정책 제안 공모대회에 출품하여 우수한 아이디어로 인정받기도 하였습니다.

▲경남도 전통시장 활성화 정책반영 보도 　▲지역소멸 문제 해결방안 발표

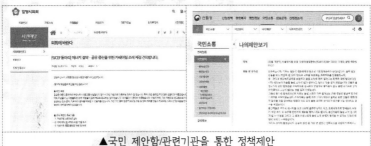

▲국민 제안함/관련기관을 통한 정책제안

② 정책 제안 관련 대회 참가 : 수상실적

2023 대한민국 열린 토론대회 청소년부 장려상
(중앙선거방송토론위원장상, 230811, 2023-9호)

2023.경상남도 전통시장 활성화 공모 최우수상
(경남도지사, 23.09.08)

2023년 경상남도 청소년자원봉사대회 최우수상
(여성가족부장관상, 23.11.22, 2023-854호)

밀양시 공공데이터 활용 아이디어·분석 공모전 대상
(밀양시장,23.11.17, 2023-137호)

① 전통시장 데이터 및 AI 활용, 전통시장 최적 장보기 경로 서비스 : 관계인구

- 출입구 : 9개
- 구역수 : 12개
- 주차장 : 8개
- 화장실 : 3개

■ 아이디어 구상 및 제안 배경

① 아이디어 구상 및 제안 배경

- 효율성 및 편의성 추구 현상으로 전통시장 기피

- 시민과의 인터뷰 결과, 전통시장 내 품목에 대한 안내자료가 없어서 대형마트를 방문하게 된다는 점과 미로같이 복잡한 시장 구조상 빠르게 효율적으로 물품을 구매하기 어려운 탓에 시장 방문을 꺼리게 된다는 인터뷰 결과를 얻음

▲ 시장 상인 설문조사

▲ 시장 고객 설문조사

② 공공데이터의 활용 내용

 - 공공데이터에는 전통시장 내 입점 점포, 업종, 주요 품목, 결제 옵션 등의 정보가 반영되어 있다. 이를 활용하여, 내가 구매하고자하는 물품을 입력하면, 가까운 주차장과 최적의 장보기 경로를 설정해주는 어플을 제작·운영하여 시민들의 편의와 효율성을 증대시킬 수 있을 것이다.

③ 활용 빈도

 - 주 타깃층은 지역사회 구성원(밀양시민)이지만 타지역의 시민들도 아리랑 시장 내, TV방송 등으로 유입되고 있으므로, 전통시장 정보에 취약한 타지역민들에게도 유의미한 활용이 나타날 것으로 기대됨.

■ 아이디어 핵심내용
① 공공데이터 활용 방식
 - 현재 경남빅데이터허브플랫폼에는 김해시 전통시장 입점

점포 현황과 관련한 공공데이터에 시장명, 점포명, 업종, 주요 품목, 결제옵션(온누리상품권, 카드 등)의 정보가 탑재되어 있다. 밀양시의 경우, 밀양아리랑시장 홈페이지에서 해당 정보를 확인할 수 있다. 이 정보를 활용하여 스마트폰 어플리케이션으로 제작하여 방문객에게 유의미한 정보를 제공할 수 있다.

② 아이디어 구성 및 특징

 - 해당 공공데이터를 활용한, 어플리케이션의 핵심 내용은 다음 표의 네가지 기능이 핵심이다. 이를 통해 전통시장 이용객이 가장 큰 문제점으로 뽑은 편의성과 효율성 문제를 극복하고 시장 유입 고객을 활성화시킬 수 있을 것이다.

	기능명	상세내용
1	점포 정보	각종 점포의 세부 정보 표시 기능
2	품목 검색	원하는 품목을 검색할 때, 해당하는 점포의 상세정보를 보여주는 기능,
3	네비게이션	다양한 구매 품목을 입력했을 때, 최적의 동선을 짜주는 기능,
4	주차장 안내	주차장 안내 기능

■ 유사 서비스와의 차별성 및 독창성

① 유사 서비스

- 타지역에서 공공데이터 활용 전통시장 어플리케이션을 활용하고 있는 사례가 있다. 하지만, 배달을 주목적으로 사용하고 있는 형태가 대부분이었다.

진주의 신중앙시장과 모래내시장이 지난해까지 중소벤처기업부의 온라인 진출 지원사업, 문화관광형 특성화시장 육성사업 등을 통해 전통시장 장보기 배송 서비스를 제공했지만, 도입 초기에만 반짝 효과를 냈을 뿐 그 이후에는 주문 건수가 0건에 가깝다.

▲ 전통시장 배달 앱(진주시)

▲ 타분야 사용 사례(롯데월드)

② 기획 아이디어만의 독창적 기능 및 제공 서비스

- 우리가 제안하는 서비스는, 마치 놀이동산의 어플리케이션과 같이, 각종 점포의 세부 정보를 표시함과 동시에, 내가 원하는 품목을 검색할 때, 해당하는 점포의 상세정보를 보여주는 기능, 그리고 다양한 구매 품목을 입력했을 때, 최적의 동선을 짜주는 기능, 가까운 주차장 안내 기능을 제공하여 전통시장 이용객의 편의성과 효율성 등의 실효성을 높이고자 한다.

출처 : 장바요

■ 문제해결 가능성 및 기대효과

① 해결방안의 실현 가능성

- 2022년 기준 전국 17개 시·도와 교육청이 개발한 공공앱은 346개에 달한다. 하지만 대부분이 어플리케이션이 누적 다운로드 수, 이용자 수, 사용자 만족도, 업데이트 최신성 미달로 폐기되고 있는 실정이다. 비용도 개발부터 제작까지 약 1억원이 소요될 만큼 많은 비용이 지출된다.

- 하지만, 전통시장 어플과, 지역 화폐 등의 서비스를 연계하여 밀양시의 특성화된 앱으로 집약적 성장을 이룬다면, 시민들과 관광객의 유입을 높여, 공공앱의 성공사례로 거듭날 수 있을 것이다.

② 지역·국가적 차원의 사회적 현안 해결 가능성 및 기대효과

- 도시 소멸 문제 해결 가능성
- 전통시장 활성화 문제 해결 가능성

지방의 도시소멸 문제는 심각한 상황이다. 특히, 밀양도 전북 김제시(0.24), 경북 문경시(0.25)에 이어 전국에서 세 번째인 0.28(21년 기준)을 기록했다. 밀양의 인구를 늘리는 방안이 시급하지만 인구 유입 정책은 실효성이 없다. 대신 해결방안으로 관계 인구 증진 방안이 시급하게 도입되어야 한다. 전통시장의 활성화는 결국 타지역 시민들의 유입을 활성화 시킬 수 있는 문화도시의 중추적 모델이 될 수 있을 것이다.

인간-인간
'연결'

▌ Local RE-branding ② ▌

지역적 특색에 맞는 연결이 있는 동네
사회적 약자와 연결짓는 동네

KDI 경제정보센터
https://eiec.kdi.re.kr › publish › naraView ⋮

정주인구 확보 경쟁은 제로섬 게임에 불과... 지역에서 필요한 ...
생활인구의 개념이 다소 생소하게 느껴질 수 있으나 우리보다 일찍 인구감소와 지방소멸 문제를
경험한 일본도 유사한 인구개념을 도입한 바 있다. 바로 관계인구(關係人口) ...

1인 가구 친화 도시, 홀몸 노인 친화 도시

" 다양한 거주 형태의 사람들이 공존하고,
서로 배려하며 연결짓는 동네를 꿈꾸다. "

① 공유 자판기 for 1인 가구

■ 문제 인식

최근 1인 가족이 급증하고 있다. 이로 인해, 마트에서 산 식자재, 칫솔, 치약 등과 같은 생활용품, 애견 간식 등이 소진되지 못하고 버려지고 있는 경우가 많다. 결국 1인가구의 배출 쓰레기양 급증의 문제로 이어지게 된다.

또한 이웃 간의 교류와 소통의 부재로 인해 남은 것들을 쉽게 나누지도 못하는 풍토가 만연하다. 1인가구의 외로움과 사회적 고립 및 정신건강 문제를 해결할 수 있는 실제적인 플랫폼이 필요한 실정이다.

끝으로, 공유 경제는 현재 사회문화적 맥락 상 필수불가결한 시스템이다. 최근 중고거래 온라인 플랫폼을 활용하여 무료나눔 등의 형태로 이루어지고 있지만, 집으로 찾아가야 하는 등 번거로움과 개인정보 노출의 우려가 있어 제한적이다. 또한 기업·시민단체에서 운영 중인 공유 경제 시스템은 제한적인 물품에만 이루어지다 보니 다양한 공유가 이루어지지 못하고 있다.

이러한 문제 상황 속에서 자연환경을 보호하기 위해 나눠쓰는 문화, 이웃 간의 소통을 증진시키고, 공유 경제를 활성화하며 지역 거점의 소통 센터로서 기능하는 플랫폼을 만들기 위해 이 아이디어를 기획하게 되었다.

① 1인 가구의 급증

7일 통계청에 따르면, 2021년 기준 1인가구의 수는 716만 6000 가구로, 전체 가구의 33.4% 수준이다. 연령대별 비중은 29세 이하 19.8%, 70세 이상 18.1%, 30대 17.1%, 60대 16.4% 순으로 나타났다. 전체 가구 중 1인가구 비중은 2005

년 20.0%였으나, 2030년 35.6%, 2050년 39.6%에 이를 것으로 전망된다. 여러 사회 제반 요소로 인해 사실상 1인 가구 수는 늘어날 수 밖에 없는 만큼, 국민들은 이러한 사회적 변화를 반영한 정책과 기업 서비스를 요구하고 있다.

특히, 1인가구가 배출하는 쓰레기의 문제가 심각한 상황이다. 1인가구의 생활쓰레기 배출량은 일반생활쓰레기가 203g/일, 재활용품이 124g/일로, 종량제봉투는 비교적 무거운 음식물이 포함되어 있어 전체적으로 높은 발생량으로 나타났다. 더불어 종량제 봉투는 음식물을 포함하여, 호일, 면봉, 휴지조각, 화장솜, 영수증 일회용품 포장종이, 애완동물 장난감(고양이 모래 등), 티백, 아이스크림 막대 등이 포함되어 있는 것으로 조사되었다(정환도,2017-06).

② 이웃 간의 소통 및 교류 부족

최근 1인 가구 수가 늘어나며, 동네에서 밥 친구를 사귀거나 취미 생활을 함께하는 등 이웃과 연결되고자 하는 니즈가 점차 커지고 있다. 하지만 실제로 그들을 연결시켜줄 수 있는 연결고리이자 플랫폼은 부족한 상황이다.

당근마켓에 따르면 온·오프라인 활동을 연결하는 '같이해요' 서비스 모집글 5개 중 하나는 밥·카페(23%)를 함께할 사람을 구하는 것이었다. 이웃 간의 소통·교류 플랫폼 역할을 온라인 중고거래 플랫폼이 일부 담당하고 있으나, 일부 사용자에 국한되고 있다.

1인가구의 외로움과 사회적 고립 및 정신건강 문제를 해결할 수 있는 실제적인 플랫폼이 필요한 실정이다.

③ 제한적인 공유 경제 산업

디지털을 통한 소통의 발전, 기술 혁신, 새로운 가치, 소비방식의 변화에 따라 '공유 경제(sharing economy)'에 대한 관심이 높아지면서 공유 경제의 확산은 세계적으로 부인할 수 없는 흐름으로 받아들여지고 있다. 하지만 현재 진행 중인 공유 경제는 제한적으로 이루어지고 있어 다각화가 필요하다.

현재 기업체에서 운영 중인 공유 옷장, 공유 리폼 등이 있으나 시민들이 느끼기에는 제한적으로 이루어지고 있다는 평가가 지배적이다.

공공정책 제안

① 개 요 : 무엇이든 공유해요! 공유 자판기 설치

② 운영 내용 : 지역 거점 장소에, 안이 들여다 보이는 공유 자판기(물품보관소 형태)를 설치하여 공유하는 사람과 공유받는 사람이 다양한 물품을 공유할 수 있는 플랫폼 설치·운영한다.

③ 운영 방법 :

• 공유자 및 피공유자는 운영 기관에서 카드를 발급받는다.

• 공유자는 카드리더기에 카드를 터치하고, 물품을 자판기에 넣는다.

• 피공유자는 카드를 터치하고 공유받을 물품을 수령한다.

• 공유자는 포인트를 발급받고, 공유받는 사람은 포인트를 지불·어플을 통해 나눔·공유과정에서 얻은 정(情) 포인트를 확인

① 현행 정책 및 실행방안의 문제점

첫째, 1인 가구 급증에 따른 쓰레기 문제 대책으로, 1인 가구 주거지 밀집 지역에 분리수거함을 설치하거나, 요일별 수거 시스템을 활용하고 있다. 하지만, 분리 배출을 통한 재활용률을 높이기 위한 방편일 뿐, 쓰레기를 줄이기 위한 방안에 대한 대책 마련이 미흡한 상황이다. 또한 1인 가구는 리필샵과 같이 소분하여 판매하는 가게를 필요로 하는 의견이 많으나, 가까운 거리에서 찾기 힘든 실정이다.

둘째, 이웃 간의 소통 및 교류가 부족한 실정이다. 정부에서는 동네의 소통 협력을 강화하고자, 소통협력센터 설립을 거점별로 추진하고 있지만, 정부 주도의 소통 협력 프로그램을 운영하다보니, 체감상 이웃간의 소통과 협력은 그렇게 높아지지 않고 있다.

셋째, 공유경제 활성화 방안 (19.1.9)이 시행되고 있지만, 공유 경제가 제한적으로 이루어지고 있어 시민들은 공유 경제에 대해 실감하지 못하고 있는 실정이다. 일부 시민단체에서 공유 냉장고, 기업체에서 공유 옷장, 공유 주방 등의 형태가 운영되고 있지만 일부 제한된 공유 활동에 불과한 실정이다.

② 제안하는 해결 방안
- 개   요 : 무엇이든 공유해요! 공유 자판기 설치
- 운영 내용 : 지역 거점 장소에, 안이 들여다 보이는 공유 자판기(물품보관소 형태)를 설치하여 공유하는 사람과 공유 받는 사람이 다양한 물품을 공유할 수 있는 플랫폼 설치·운영한다.
- 운영 방법 :

- 공유하려는 사람 또는 공유 받으려는 사람은 운영 기관에서 카드를 발급받는다.
- 공유하려는 사람은 카드리더기에 카드를 터치하고, 물품을 자판기에 넣는다.
- 공유 받으려는 사람은 카드를 터치하고 공유받을 물품을 수령한다.
- 공유하는 사람은 포인트를 발급받고, 공유받는 사람은 포인트를 지불하게 된다.
- 어플을 통해 나눔/공유과정에서 얻게 된 자신의 정(情) 포인트를 확인한다.

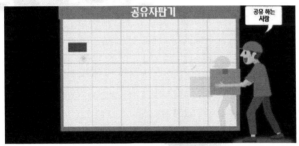

공유하는 사람

공유 받는 사람

사전에 사람이 가장 많이 다니는 시장이나 공원등 여러 장소

를 지역주민들과의 협의를 거쳐 공유자판기를 설치할 장소를 찾는다. 이후 공유자판기를 설치한다. 이때, 공유 자판기는 냉장칸과 비냉장칸으로 구분하여 설치한다.

설치 작업 이후에는 사용자를 모으는 과정이 수반된다. 많은 사람들이 공유 자판기를 이용 할 수 있게 지역 신문 또는 홍보채널을 통해 홍보하며 MZ세대를 집중 공략하기 위해 SNS 홍보도 해야할 것이다.

공유자 및 피공유자는 운영 기관에서 카드를 발급받아, 전통시장 내 공유자판기 이용 권한을 얻게 된다.

공유자는 자신이 카드리터기에 카트를 터치하고, 물품을 자판기에 넣은 뒤 물품의 가격을 책정하고, 물건의 유통기한도 같이 표기한다. 이후 피공유자는 원하는 물품을 정(情) 포인트를 통해 구매할 수 있다. 정(情) 포인트는 전통시장 구매 가격에 따라 적립되는 형태로 운영된다. 피공유자는 공유자가 책정한 원래 가격의 1/1000의 포인트로 물품을 나눔받을 수 있게 된다.

피공유자는 카드 리터기에 카드를 터치한 후 공유받을 물품의 자판기 번호를 입력한다, 입력하는 순간 피공유자의 정포인트는 차감된다. 이 정(情) 포인트는 앱에서 확인이 가능하도록 시스템을 구축한다.

공유 자판기의 보안과 물품의 안정성을 위한 보완장치 도입도 필요하다. CCTV를 설치하여 혹시 모를 도난의 위험에 예방해야 한다. 또한 AI 시스템을 통해 물품의 상태가 변하거나 2차 피해의 우려가 있는 물품은 자동으로 나눔 서비스가 중단되도록 빨간불을 표시할 수 있는 시스템을 구축한다.

③ 해결 방안 실천 로드맵

단계	내용	비고
1단계	자판기 제작 및 설치 운영을 위한 광고판 설치 및 광고 수주 (수익 창출/운영비 마련 용도)	지역 거점 장소 물색
2단계	홍보 및 캠페인 이용자 카드 발급	SNS 이벤트 어플 제작
3단계	활동 증진을 위한 이벤트 기획 운영 점검 및 개선방안 모색	어플을 통한 설문조사

■ 기대효과

① 1인 가구의 쓰레기 양 감소

 1인 가구에서 소비되지 못하고, 남겨진 식자재, 생활용품 등을 공유하여, 버려지는 물품의 양을 줄임으로써 1인 가구의 쓰레기양을 획기적으로 줄일 수 있을 것으로 판단된다.

② 이웃 간 공유를 통한 연대감 증진

 공유 자판기를 활용하여, 이웃 간의 비대면·대면 소통을 증진시킬 수 있을 것이다. 간단한 쪽지와 함께 공유 물품을 나눔으로써 이웃 간의 정(情) 포인트를 쌓아나가는 우리 동네의 소통협력 랜드마크로 급부상할 수 있을 것이다.

③ 일상 생활 속 다양한 공유 활동 증진

 일상 생활 속에서 친한 이웃이 아니라면, 물품을 나누거나 공유하기 어렵다. 최근 중고거래 온라인 플랫폼을 활용하여 무

료나눔 등의 형태로 이루어지고 있지만, 직접 집으로 찾아가야 하거나 만나야하는 등 번거로움과 개인정보 노출의 우려가 있어 제한적이다. 또한 기업 또는 시민단체에서 운영 중인 공유 경제 시스템은 제한적인 물품에만 이루어지다 보니 다양한 공유가 이루어지지 못하고 있다. 공유 자판기는 다양한 물품을 공유할 수 있는 획기적인 플랫폼이 될 것이다.

② [노인친화도시] 어깨동무 골목 만들기

　　: LED 태양광 가로등 설치

■ 아이디어 구상 및 제안 배경

2040년 밀양인구 절반 ' 노인 '

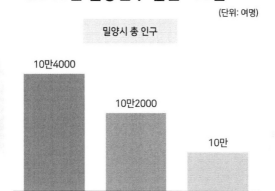

(단위: 여명)

밀양시 총 인구

▲ 밀양 노인 인구수

　우리 학교가 위치한 곳은 구도심 지역으로서 노인 인구가 절대적으로 높으며, 특히 혼자 사는 홀몸노인이 많다는 문제가 있었습니다. 또한 건물들이 낙후되어, 혹서기 및 혹한기에는 홀몸노인들이 어려움을 겪는다는 이야기를 들었습니다.

　우리가 살아가고, 살아갈 밀양의 문제점을 찾기 위해 자료조사와 길거리 인터뷰를 진행한 결과, 노인인구가 급증하여 고령화사회로 진입했다는 것이 가장 두드러졌습니다. 읍·면 지역 가구들은 노인 인구가 많고, 시 지역에는 농업을 중단한 홀몸노인들이 많이 살고 있습니다.

　과연 우리 밀양의 시민들은 우리 지역사회의 문제점에 대해

어떻게 생각하고 있는지 설문조사를 진행했습니다. 노인친화도시 설문조사(N=26)에서 10명의 응답자가 안전한 주거환경을 최우선적으로 해결해야 할 문제로 꼽았습니다. 이러한 지역주민의 인식을 토대로 우리 동네를 노인친화도시로 만들기 위한 본격적인 실태조사에 나서게 되었습니다.

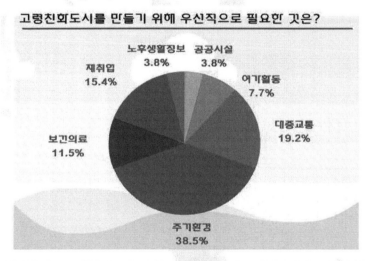

고령친화도시를 만들기 위해 우선적으로 필요한 것은?

- 노후생활정보 3.8%
- 공공시설 3.8%
- 재취업 15.4%
- 여가활동 7.7%
- 대중교통 19.2%
- 보건의료 11.5%
- 주거환경 38.5%

『경상남도 시군별 장래인구추계』에 따르면 밀양은 초고령화 사회로 이미 진입하였습니다. 2035년 총부양비(생산가능인구 1백명당 부양인구)는 102.6명으로 늘어날 전망으로 2015년 대비 52.2%나 증가하게 됩니다. 이는 경남 도내 시지역에서는 최고 수치입니다.

노인인구가 많은 상황에도 불구하고 정책이 뒷받침되지 못하여 노약자들에게 꼭 필요한 생활의 기초시설인 가로등, 편의시설 등이 제대로 구축이 되지 않아 불편함을 호소하는 어르신들이 많았습니다.

[표 7] 2015~2035년 시군별 고령인구 및 구성비

(단위 : 천 명, %, %p)

	고령 인구						고령 인구 구성비				
	'15년	'20년	'25년	'35년	증감(%)'15	증감율	'15년	'20년	'25년	'35년	증감(%p)'15
경 남	449.7	553.8	716.5	1,046.2	596.5	132.6	13.5	16.4	21.0	30.7	17.2
창원시	108.9	143.4	193.9	286.4	177.5	163.0	10.3	13.8	19.1	29.5	19.3
진주시	46.8	57.8	73.9	105.9	59.1	126.3	13.4	16.1	20.4	29.3	15.9
통영시	19.5	23.8	30.4	42.2	22.7	116.4	14.2	17.8	22.9	32.4	18.2
사천시	20.4	23.8	28.7	36.5	16.2	89.2	18.0	21.3	26.1	35.9	17.9
김해시	44.7	58.2	80.1	129.8	85.1	190.4	8.4	10.8	14.9	24.9	16.5
밀양시	23.7	26.1	35.0	48.4	24.7	104.2	23.0	26.7	32.5	43.4	20.4
거제시	19.6	25.6	36.2	58.1	38.5	196.4	7.6	9.4	12.6	20.2	12.6
양산시	31.2	46.9	68.7	113.9	82.7	265.1	10.6	13.2	17.6	26.6	16.0
의령군	9.1	9.4	10.4	13.0	3.9	42.9	33.3	36.5	41.2	51.0	17.7
함안군	13.1	15.3	19.1	27.2	14.1	107.6	19.0	22.2	27.3	38.2	19.2
창녕군	16.3	18.2	22.0	30.2	13.9	85.3	26.5	28.8	34.0	44.7	18.2
고성군	13.8	15.1	17.5	22.9	9.1	65.9	25.5	28.8	33.9	44.4	18.9
남해군	15.2	15.9	17.4	20.9	5.7	37.5	34.1	37.4	42.2	51.6	17.5
하동군	13.6	14.8	17.2	23.0	9.4	69.1	30.4	32.7	36.9	47.2	16.8
산청군	11.1	12.2	14.3	19.3	8.2	73.9	32.7	34.9	39.4	50.0	17.3
함양군	11.8	12.7	14.6	18.7	6.9	58.5	30.8	33.1	38.0	48.5	17.7
거창군	14.8	16.1	18.8	24.8	10.0	67.6	24.5	26.6	31.0	40.7	16.2
합천군	16.1	16.6	18.4	22.9	6.8	42.2	35.6	38.3	42.6	52.1	16.5

2015~2035년 시군별 고령인구 및 구성비

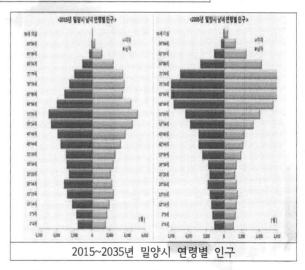

2015~2035년 밀양시 연령별 인구

특히, 가로등이 설치되지 않은 좁은 골목길이나, 가로등이 너무 높이 설치되어 인도를 제대로 비추지 못하는 경우, 구도심의 특성을 고려하지 않고 관련 법령에 따라 최소한의 가로등

만 설치된 경우 등으로 인해 야간 통행에 어려움을 겪고 있습니다. 이 때문에 어르신들이 야간에 맨홀 뚜껑에 발이 걸려 넘어져 큰 사고가 나는 등 무관심 속 사고가 지속적으로 발생하고 있는 실정입니다.

■ 대안 정책의 문제점
① 가로등 설치 관련 규정의 한계

첫째, 타시도에 제정되어 있는 『가로등 및 보안등 설치 관리 규정』이 밀양시에는 별도 마련되어 있지 않고 경남 및 환경부 지침에 따르고 있어 우리 밀양시의 특성에 맞는 야간통행 보장이 어렵습니다.

<가로등 관련 자치법규가 제정된 시군구>

가평군, 광주시, 구리시, 금산군, 김포시, 논산시, 단양군, 봉화군, 산청군, 서산시, 신안군, 양양군, 영동군, 옥천군, 완도군, 의왕시, 이천시, 익산시, 장흥군, 철원군, 하남시, 해남군

둘째, 가로등의 설치와 관련하여 2019년 밀양시에서는 「밀양 시가지 가로등 조도실태 일제점검」을 실시하여 조도 기준 5.0 룩스(Lux)이상에 미달되는 도로를 개선하였으나, 가곡동 일대는 야간에 건물에서 나오는 빛도 적고, 수목이 관리가 되지 않아 가로등을 가려, 여전히 밤에 어두워 노인들의 야간 보행에 어려움을 겪고 있습니다.

밀양시, 조도실태 점검 '일단 합격'

**시가지 주요도로 50개소등
49곳 합격·1곳 조속히 정비**

밀양시는 지난 15일부터 21일까지 시가지 주요도로 50개소와 영남루 주변의 조도를 일제 점검했다고 밝혔다.

점검 결과, 주요도로 49곳은 조도기준에 합격점을 받았고, 기준에 미달되는 1곳은 조속히 정비키로 했다.

이번 일제 점검은 지난 1월 '택시운수 종사자와 신년 시민방문콘서트'에서 "차량 야간운행 시 도로의 가로등 조도가 낮아 불편하다"는 애로사항과 일부 시민의 "영남루 일대가 어둡게 느껴진

다"는 의견에 따라 실시됐다.

도로조명 기준에 따르면 도시 교통료, 간선도로의 평균 노면 조도 기준은 14룩스(lx) 이상인데 밀양 시가지 주요도로는 대부분 14(lx)를 초과했으나 그 중 가곡동 용두교-가곡삼거리 구간 1곳이 10.7(lx)로 기준에 미달됐다. 이에 밀양시는 그 일대를 조속히 정비하고, 영남루 주변의 노후화된 공원등과 수막등도 수리해 시가지 조도를 개선할 계획이다.

특히, 2009년부터 추진해 오는 노후 가로·보안등 7천357개에 대한 고효율조명(LED) 교체사업이 올해 마무리되면 밀양시 전역이 한층 더 밝아질 전망이다.

장세경 기자

경남매일(2019.2.25.)

조도실태점검 관련 보도자료

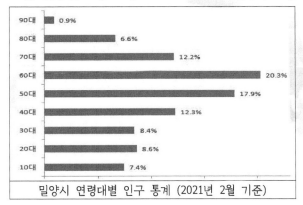

조도실태점검과는 다른 골목길의 조도

셋째, 노인 인구가 다른 시도에 비해 월등하게 많습니다. 행정안전부에 따르면 2021년 2월 기준 104,497명 중 65세 이상 노인 인구는 30,093명으로 초고령화 사회에 포함되었습니다.

90대 0.9%
80대 6.6%
70대 12.2%
60대 20.3%
50대 17.9%
40대 12.3%
30대 8.4%
20대 8.6%
10대 7.4%

밀양시 연령대별 인구 통계 (2021년 2월 기준)

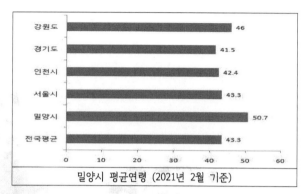

밀양시 평균연령 (2021년 2월 기준)

특히 홀몸 노인이 9,575명으로 전체노인수의 상당수(34.6%)를 차지하고 있고, 거처종류도 단독주택의 수치가 65.4%로 높습니다. 단독 주택의 경우 낡고 오래된 건물들이 많아 주거환경이 취약한 편이라 지원이 필요함에도 정책적 지원보다는 밀사모, 울타리봉사회, 새밀양로타리클럽 등에서 일회적으로 지원을 하고 있을 뿐입니다.

지역명	계(%)	1인	2인	3인	4인	5인이상
합계	100.0	37.3	36.7	13.4	10.1	2.5
창원시	100.0	30.6	33.7	19.1	14.4	2.2
진주시	100.0	36.7	31.9	15.2	12.9	3.3
통영시	100.0	37.7	36.3	15.4	9.6	1.1
사천시	100.0	42.0	34.6	11.2	8.6	3.6
김해시	100.0	26.4	33.4	19.1	17.8	3.4
밀양시	100.0	43.9	36.5	13.2	5.8	0.7
거제시	100.0	23.1	31.5	19.0	23.1	3.3
양산시	100.0	35.3	30.5	18.0	13.7	2.5
시합계	100.0	33.3	33.4	16.9	13.9	2.5

지역명	계(%)	단독주택	아파트	연립주택	다세대주택	기타
합계	100.0	56.9	36.3	2.1	2.4	2.4
창원시	100.0	37.4	50.8	5.1	2.0	4.7
진주시	100.0	47.5	44.4	3.3	4.1	0.7
통영시	100.0	48.1	49.3	0.2	0.5	1.9
사천시	100.0	50.1	43.7	1.5	1.7	2.9
김해시	100.0	24.7	63.1	0.2	11.3	0.7
밀양시	100.0	65.4	31.1	1.6	1.2	0.7
거제시	100.0	38.7	56.9	0.7	1.6	2.1
양산시	100.0	22.5	73.3	0.4	0.3	3.5
시합계	100.0	39.9	52.6	2.1	3.0	2.5

■ 공공정책 모색

가로등 설치 조례안 건의 및 태양광 LED등 별도 설치 제안

열대야가 유독 심했던 2021년 여름, 노인들도 더위는 피해가지 못해 밤이면 시원한 야외 쉼터를 찾았습니다. 하지만 가로등 불빛이 없어 걷는 내내 조마조마하며 걸어야 했습니다. 우리들은 우선적으로 해결할 수 있는 방법을 고민한 결과, 태양광 LED등을 설치하는 것을 제안합니다.

빛공해, 좁은 골목길 등 설치가 어려운 곳은 태양광 LED 가로등을 설치하여 사람이 지나다닐 때, 점등되도록 설치하는 것입니다. 서울형 뉴딜 골목 주택 사업은 우리들이 제안한 LED 가로등이 설치되는 사업 중 하나입니다.

또한 경상남도와 환경부 등의 지침이 있지만 밀양(지역별)의 특색에 맞게, 노약자가 많은 곳은 별도로 설치를 할 수 있다는 내용을 특별히 반영한 조례안이 필요합니다. 각각의 지역마

다 노인 인구 비율, 빌딩 밀집도 등이 다르기 때문에 상황에 맞는 적절한 가로등 정책이 수립될 필요가 있습니다. 이에 따라, 밀양시에 타 시도와 별개의 가로등 설치와 관련한 조례를 만들고자 건의하였습니다.

사례① 서울형 뉴딜 골목 주택 사업 (출처 서울시)

사례② 진안군청 그림자 조명 - 힐링의 거리 (출처 진안군)

■ **공공정책 직접 실천 활동**
 - 가로등 설치 조례안 건의 및 태양광 LED등 설치 실천 내용
1단계 이 활동은 2020학년도부터 시작한 활동입니다. 2020학년도에 실시한 프로젝트를 더욱 체계적으로 진행하기 위해 어둠 지도의 지역을 확대하고, 밝기의 정도에 따라 세부적으로 제작하기위한 회의를 진행했습니다.

2단계 팀을 나누어 어둠 지도 제작을 위한 야간 탐색을 나갔습니다. 휴대폰 조도계 어플을 활용하여 골목마다의 조도 수치(lx)를 정리하여 [양호]-[보통]-[심각]으로 분류하였습니다.

3단계 취약지역의 가정을 방문하여 인터뷰를 진행하여 설치 장소를 결정하였습니다. 태양광 LED등을 구매하여 설치작업을 진행할 때에는 태풍과 같은 재난에 문제가 없도록 실리콘 테이프, 방수 실리콘 등의 작업을 거쳤고, 설치 후 주기적으로 점검을 나가 작동상태를 확인하고 있습니다.

설치 장면 (EBS취재)

설치 완료 장면

설치 후 확인/점검

우리동네 어둠지도

③ [노인친화도시] 느린 키오스크 만들기

■ 문제인식

– 키오스크는 계속 늘어나고 있다.

밀양시에서 운영 중인 키오스크는 법원, 시청, 동·읍·면 행정복지센터 등 총 18대이다. 이것 이외에도 음식점, 카페, 아이스크림 할인점 등에서 설치한 곳이 동아리에서 파악한 수치로 대략 15개소이며, 계속 늘어나고 있는 추세이다. 지역 주민을 고려하지 않은 무분별한 디지털화는 소리 없는 문제를 일으키고 있습니다.

이러한 변화에 대해 사업자와의 면담 결과, 늘어난 인건비로 인해 키오스크를 알아보게 되었는데 생각보다 저렴한 키오스크 임대료로 바로 도입하게 되었다고 말했습니다. 또한 사용사 설문조사에서는 키오스크 사용법을 새롭게 익히는 것보다 점원을 부르는 것이 더 편하다고 답변하였습니다.

이러한 사용자의 인식에도 비용상의 문제로 번화가에는 노인을 배려하지 못한 음식점들이 많이 생겨나고 있습니다. 무인 자동화 시스템 추세에 따라 키오스크가 우후죽순 생겨나고 있지만, 밀양 인구의 약 30%(2021년 2월 기준)를 차지하고 있는 노인의 권리는 무시되고 있습니다. 이 때문에 주문을 하지 못해서 집에 돌아와 눈물을 훔치셨다는 어머니와 할머니의 이야기를 들은 친구도 있습니다.

■ 대안정책

- 키오스크 관련 정책에 노약자 배려 관련 내용 미비

밀양시는 '스마트도시안전망 10대연계서비스 및 자체 S-서비스 구축사업'을 진행중이며, 11월 완공을 목표로 '스마트시티 솔루션 확산' 사업을 실시 중에 있습니다. 이는 사용자 편의를 제공하기 위해 7곳에 '스마트 버스정류장'을 설치하는 사업입니다. 스마트 버스 정류장에는 키오스크가 도입됩니다. 또한 경남도와 경남신용보증재단은 소상공인 정책자금 지원으로 키오스크 설치 비용을 지원하고 있습니다.

늘어나고 있는 키오스크 설치 비율에 비해, 고령 인구를 위한 배려는 부족한 실정입니다. 고령 인구를 위해 키오스크 사용 안내 책자를 따로 비치하거나, 사용방법에 대한 별도의 교육은 이루어지고 있지 않고 있어 불편함을 가중시킬 수 밖에 없습니다.

■ 공공정책 모색

- 노약자를 위한 착한 키오스크 지도 및 캠페인 활동 제안

키오스크의 설치는 바꿀 수 없는 시대의 흐름인 것을 우리 모두는 알고 있습니다. 이러한 변화의 흐름 속에서 노약자분들이 마음 놓고 음식을 주문하고 영화를 볼 수 있도록 할 수 있는 방법은 여러 가지 교육과 새로운 기계의 도입이 아닙니다. 바로 오직, 우리들의 '배려'가 정답입니다. 그런 문화를 만들기 위해 지역사회의 문화를 만들어보고자 캠페인을 진행하는 공공정책을 제안하고자 합니다.

첫째, 키오스크 지도를 만들고 이와 더불어 QR코드로 키오스

크 사용방법을 안내하는 영상을 제작하여 안내하는 것을 제안합니다. 서울시와 스타벅스의 경우 무장애 지도를 제작하여 휠체어를 타고 여행할 수 있는 지도를 제작하여 보급하고 있습니다. 이와 유사한 형태로, 키오스크 지도를 동네별로 제작하여 보급한다면 노약자의 어려움을 최소화할 수 있을 것입니다.

둘째, 키오스크에 노약자를 배려하는 문구 게시를 권장하는 캠페인을 진행할 것을 제안합니다. 모두에게 키오스크란 '빨리! 빨리!'가 가장 최우선시되는 기계로 인식되고 있습니다. 키오스크의 본질은 속도가 아닌 편의성에 있어야 합니다. 그러한 일반 시민들의 인식 개선을 위해서는 지속적인 캠페인 실시가 필요하다고 생각합니다.

참고사진

① 우리 동네 키오스크 지도 참고 사진 (출처 서울시)

참고사진

② 키오스크 부착 안내판 참고 사진 (출처 맥도날드)

■ 공공정책 직접 실천 활동
- 노약자를 위한 착한 키오스크 캠페인 실천 내용

1단계 지역사회의 키오스크를 설치지역을 파악하여 키오스크 지도를 만들었습니다. 그리고 직접 찾아가 키오스크를 통해 주문하는 과정을 영상으로 찍었습니다.

2단계 배너 및 부채를 제작하였습니다. 배너와 부채에는 노약자가 키오스크 사용에 불편한 이유를 적어놓고, 배려의 필요성을 상기시켰습니다. 키오스크에는 배너를 부착하고, 가게 앞에는 부채를 가져갈 수 있도록 '나눔 부채 ZONE'을 만들었습니다.

3단계 앞으로 새로 생겨나는 키오스크를 지속적으로 파악하기 위해 키오스크 설치 업체에 연락하여 설치 장소를 파악하여 배너를 부착하고 있습니다. 하지만 우후죽순 늘어나는 키오스크를 파악하고 설명 방법을 안내하기에는 시간과 인력에 제약이 따릅니다. 따라서 정책적으로 새롭게 키오스크가 도입/설치될 때마다 안내 방법을 설명하는 책자 또는 영상자료를 키오스크 옆에 비치하거나, 안내를 요청하는 '벨'을 별도로 부착하게 하는 정책이 필요할 것입니다.

| 지도 제작 | 착한 키오스크 배너 부착 |

| 홍보용 부채 나눔 | 인증마크 발급 |

④ [노인친화도시] 실버 산타 프로젝트

■ 문제 인식

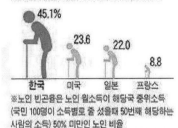

65세 이상 노인 빈곤율 2008년 기준

45.1% 한국
23.6 미국
22.0 일본
8.8 프랑스

※노인 빈곤율은 노인 월소득이 해당국 중위소득
(국민 100명이 소득별로 줄 섰을때 50번째 해당하는
사람의 소득) 50% 미만인 노인 비율

자료: OECD 'OECD 국가별 소득 배분과 빈곤' 보고서

65세 이상 노인 소득 구성 2009년 기준

	공적 부조	근로소득	자산소득
한국	15.1	58.5	26.4%
미국	36.1	34.2	29.7
일본	48.3	44.3	7.4
영국	49.4	12.1	38.5

자료: OECD 'OECD 국가별 연금 체제와 은퇴 후 소득 분석' 보고서

우리 학교가 위치한 곳은 구도심 지역으로서 노인 인구가 절대적으로 높으며, 특히 혼자 사는 홀몸노인이 많다는 문제가 있었습니다. 또한 건물들이 낙후되어, 혹서기 및 혹한기에는 홀몸노인들이 어려움을 겪는다는 이야기를 들었습니다.

홀몸노인들이 겪는 문제점을 해소하면서도, 우리가 그들에게 관심을 갖고 있다는 표현을 함으로써 사회적 유대감도 강화시킬 수 있는 방안이 필요했습니다.

■ 공공정책 모색 및 실천

준비 홀몸노인을 무작정 찾아가는 것보다 그들에게 필요한 것을 나누며 그들의 입장에서 공감하는 것이 정서적 거리감을 줄이는 것에 효과적일 것이라고 생각했습니다. 그래서 혹한기를 대비하기 위한 방한 용품을 구매하여 선물상자에 포장하였습니다.

실행 이후에는 선물을 들고 찾아가 산타가 되기로 마음 먹었습니다. 지역사회의 종합사회복지관과 MOU를 맺고, 홀몸노인 정보를 구해, 지역의 홀몸노인들을 직접 찾아 뵙고 말동무도 해드리고, 선물도 나누어드렸습니다.

효과 지속가능한 도시는, 이웃간의 정이 필수적입니다. 더 이상 도시화에 만연하여 나만 생각하는 개인주의 도시가 아닌 따뜻한 도시로 탈바꿈할 그날을 기대합니다.

환경-인간
'연결'

▌ Local RE-branding ③ ▌
환경도 사회적약자입니다.
환경과 인간을 연결짓다.

하수구 쓰레기 지도

하수구 in the Fishbowl

장애인, 청소년, 기초수급자 등 우리가 흔히 알고 있는 사회적
약자입니다. 하지만 환경도 사회적 약자라는 생각을 해보셨나요?
우리 마을의 환경과 인간이 함께 상생하는
초록빛의 도시를 만들기 위해 프로젝트를 운영하였습니다.

① 하수구 in the Fishbowl

한 친구가 말했습니다. "버스 기다리는데, 사람들이 하수구에 쓰레기를 버려서 하수구가 쓰레기를 버려도 되는 곳인 줄 알았는데"라고 말이죠. 다른 친구들의 반응은 어땠을까요? "어? 나도 그런 줄 알았는데 버리면 안 되는 곳이야?"라는 대답이 나왔습니다.

여기서부터 이 프로젝트는 출발했습니다. 어른들은 무심코 쓰레기를 버리고, 아이들은 그것을 보고 자연스럽게 배워나가고 있었던 것입니다.

그렇게 아이들은 어른들이 당연하게 하고 있는 나쁜 행동들을 고사리 같은 작은 아이들의 손으로 직접 일깨워주고자 첫걸음을 내딛었습니다. 관련 자료를 찾아보면서, 왜 쓰레기를 버리면 안 되는지 탐구하고, 해결방법들을 찾아보았습니다.

▶쓰레기통으로 변한 빗물받이 하수구

이 문제를 해결하기 위해 아이들은 함께 협력하여 고민했습니다. 벌금 경고장을 붙이자는 의견도 나왔고, 심지어, 쓰레기를 못 버리도록 하수구를 막자는 의견도 나왔습니다. 그렇게 험악하고 다소 무모한 의견들이 제시되던 중 한 학생이 "그런 험악한 것보다는 평화롭고 아름다운 방법을 쓰는 것이 어떨까"라는 의견을 제안했습니다.

그 말에 아이들의 태도는 180도 변했습니다. 하수구를 예쁜 그림으로 만들자는 의견도 나왔고, 하수구에 우리 지역사회의 사람 이름을 넣자는 의견도 나왔습니다.

▶코로나19로 인한 거리두기를 한 채 회의하는 장면

▶온라인 화상채팅을 통한 동아리 회의 장면

자! 여기서 어른의 역할이 필요한 시점이 찾아왔습니다. "얘들아 근데, 도로에는 아무나 그렇게 그림을 그리거나 해도 돼?"

아이들은 순간 뽕망치를 한 대 맞은 것처럼 놀란 표정으로 저를 바라봤습니다.

그리고는 "도로니까 시청인가? 아니면 경찰서인가?"를 고민하다가 두 군데에 모두 이메일로 동아리가 하고 싶은 일들에 대해 고민을 털어놓았습니다.

며칠 후 시청과 경찰서에서 답변이 왔습니다. 현행 법상 불가능하다는 통보였습니다. 아이들은 그동안 해왔던 공든 탑이 무너진 것에 좌절하고, 무기력해져 갔습니다.

또다시 어른의 힘이 필요한 순간이었습니다. 경찰서를 찾아가 아이들이 지역사회의 발전을 위해 노력한 것들을 보아 교통에 지장을 주지 않는 선에서 한 군데만이라도 우선 허락을 해달라고 요청했습니다. 경찰에서는 "OK" 답변이 회신되었습니다.

기쁜 소식을 부리나케 아이들에게 달려가 전달했습니다. 아이들은 숙제를 빼준 것처럼 기쁜 표정으로 화답했습니다. 어른들이 준 '거절의 표시'가 아이들에게는 숙제만큼이나 답답하고, 암울했던 것이겠죠?

"OK" 사인 이후에는 아이들은 점심시간 쉬는 시간을 이용해서 페인트 가격도 알아보고, 경찰서와 협조한 내용을 바탕으로 그곳에 새길 문구도 정해나갔습니다. 선생님이 "모여서 회의 좀 해라"라고 시키지도 않았는데 말이죠.

아이들의 회의록을 보고 나서야 얼마나 아이들이 고민을 많이 했는지 알 수 있었습니다. 지금은 더럽지만 나중에는 깨끗해질 하수구를 상상하며, 그곳에는 마치 물고기가 살고있는 어항처럼 느껴져서 사람들이 그곳을 흐뭇하게 바라볼 수 있으면 좋겠다는 마음이 오갔던 것 같습니다. 그래서 정해진 문구는 "이 어항은 쓰레기를 원하지 않아요"였습니다. 이제부터 우리들의 하수구 툰베리 프로젝트를 자세히 소개하겠습니다.

문제의 인식 : 버스 정류장 부근 하수구 = 쓰레기통?

하수구(빗물받이)에는 버려진 쓰레기가 많아, 태풍 또는 장마에 물이 역류하는 등의 문제를 일으키고 있다. 특히 2020년에는 긴 장마와 태풍으로 인근의 밀양강 수위가 높아진 탓에 하수구의 물이 역류하는 경우가 많았다. 이러한 문제점을 세밀히 확인하기 위해 가곡동 일대의 하수구를 탐방해본 결과, 총 6개의 하수구에 많은 쓰레기가 버려진 것으로 확인되었다. 6개의 하수구의 공통점은 버스 정류장 인근이거나 편의점 앞이라는 공통점이 발견되었다.

쓰레기가 많은 하수구 주변의 사람들을 대상으로 인터뷰를 실시한 결과, 청소년의 경우 편의점에서 사먹은 간식 쓰레기와 학교에서 받은 간식 쓰레기를 버스를 기다리다가 무심코 버리게 되는 경우가 많음을 확인할 수 있었고, 성인의 경우 담배꽁초를 버리는 경우가 많음을 확인할 수 있었다. 또한 하수구의 쓰임이 빗물받이로 쓰인다는 것을 모른다는 사람이 대다수였다. 이렇게 버려진 쓰레기들이 유발하는 문제점을 볼 때, 사회적 인식 변화의 필요성이 시급하다.

쓰레기가 많은 하수구　　　　하수구에 버려진 쓰레기와 담배꽁초

🏛 대안정책과 한계점 : 쓰레기 무단 투기 적발이 어려운 실정

현재 우리나라는 쓰레기 무단투기로 적발되면 10만원 이상 최고 100만 원까지의 과태료가 부과되는 규정이 있음에도 길

거리 쓰리게 무단 투기에 대한 문제는 여전히 계속되고 있다. 이러한 문제를 해결하기 위해 밀양시청은 태양전지형 블랙박스 감시 장치 50여 개소 운영 중이지만, 모든 곳을 감시할 수 없어 일부 지역에 국한된 단속만 이루어지고 있다. 금천구청은 10월 비가 올 때만 열리는 스마트 하수구를 도입하여 시범 운영 중에 있다. 평소에는 닫혀있어 쓰레기가 버려지는 것을 예방할 수 있다. 하지만 일반 빗물받이가 15만원 가량인 것에 반해, 스마트 빗물받이는 50만원 가량으로 교체 비용이 크다는 단점이 지적된다.

▶스마트 빗물받이
(사진제공 : 금천구청)

실제로는 거리 곳곳을 모두 감시하는 일이 힘들뿐더러 상습적으로 무단투기를 일삼는 사람들이 쓰레기 무단투기를 심각하게 인식하지 않는 것에 큰 한계가 있다. 보다 근본적인 문제 해결을 위해서는 새로운 하수구 시스템 또는 감시장비의 도입보다는 시민들의 인식 개선이 우선적으로 필요할 것이다.

우리의 공공정책 제안 : 동화같은 캠페인 문구 게시

하수구에 대한 길거리 설문조사를 실시한 결과, 하수구의 정확한 쓰임에 대해 알지 못하는 사람들이 대부분이었다. 쓰레기로 하수구가 막히는 것을 막기 위해 스마트 하수구 시스템과 같은 것을 도입할 필요가 있으나, 가장 우선적인 것은 시민들의 정확한 인식과 자발적인 노력이 우선이라고 생각한다. 그래서 하수구의 쓰임에 대해 홍보하고, 쓰레기 무단 투기를 예방할 수 있는 문구를 적어넣는 캠페인을 진행하기로 하였다.

며칠간의 동네 탐사를 통해 쓰레기가 많이 버려져 있는 버스 정류장 앞 하수구와 편의점 앞 하수구를 별도로 선정하여, 바닥에 환경보호 캠페인 문구를 게시하는 캠페인이다. "하수구는 쓰레기를 원하지 않아요"라는 문구 옆에 '어항'의 그림을 새겨넣어 하수구가 쓰레기를 원하지 않는 물고기가 사는 동화적인 곳으로 인식될 수 있도록 유도하여 하수구에 쓰레기를 버리려는 손길을 다시 돌릴 수 있을 것이다.

▶하수구 옆에
페인트로 문구를
작성하는 모습

▶하수구 옆 문구가
완성된 모습

🏃 우리들의 작은 날갯짓 : '하수구 in the Fishbowl' 캠페인

준비 설문조사를 실시하였습니다. 하수구에 쓰레기를 버린 적이 있는지, 그리고 쓰레기가 많이 버려져 있는 하수구를 본 적이 있는지에 대해 물었습니다. 놀랍게도 대부분의 사람들이 버린 적도 있으며, 버려져 있는 것을 보았다고 응답했습니다. 또한 하수구의 정식 명칭이 빗물받이인 것에 대해 아는지 물었지만 대부분의 응답자가 모른다고 답했습니다.

그래서 물었습니다. 빗물받이가 어떻게 변하면 쓰레기를 버릴 마음이 줄어들지에 대해서 말입니다. 그렇게 우리는 하수구 in the fishbowl 프로젝트를 실행하게 되었습니다.

설문조사

하수구 캠페인 문구 새기기

실행 하수구 캠페인은 쓰레기가 많이 버려져 있는 곳을 조사하여 가곡동의 3곳에 설치하였다. 버스정류장 앞 두 곳, 편의점 앞 한 곳을 선정하여 설치했다. 몇몇 사람들을 인터뷰해 본 결과, 호기심에 문구를 빤히 바라보다 쓰레기를 버리지 말아야겠다는 인식을 갖게 되었다고 전했다.

향후 다른 동네에도 설치해달라는 요청이 들어올 만큼 사람들에게 많은 메시지를 전달해주고 있다.

설문조사   하수구 캠페인 문구 새기기

효과 지역의 많은 주민들이 하수구가 아닌 빗물받이라는 새로운 이름표에 대해 인식하게 되었고, 더 이상 빗물받이에 쓰레기를 버리는 행위를 하지 않겠다는 다짐을 하는 계기가 되었습니다.

깨끗한 빗물받이를 바라보며, 뿌듯함을 느낄 수 있다는 것은 이제 환경시민으로 거듭날 준비가 되었다는 것 아닐까요?

전 : 빗물받이 쓰레기 모습   후 : 변화된 빗물받이

 ② 언어의 온도 : 쓰레기가 아닌 것에 대하여

학교에서 아이들과 프로젝트를 진행하다, 배가 고파졌습니다.

"선생님! 치킨 한 마리 쏘시죠!"

"그래! 너희들이 이렇게 고생하는데 한 마리 먹자!"

학교에서 배달 음식으로 치킨을 시켜먹었습니다. 배달음식에는 플라스틱 용기에 담긴 소스와 나무 젓가락, 홍보 전단, 페트병에 담긴 콜라 등이 따라왔습니다. 야무지게 먹어 치운 아이들은 쓰레기를 분리수거하여 버렸습니다. 그러던 중 한 친구가 말했습니다.

"일회용품? 이라는 말 좀 이상하지 않아?"

"한 번 쓰고 쉽게 버려도 되는 물건이라는 느낌이야!"

일회용품이라는 용어는 쉽고 편리하고 유익한 제품이라는 느낌이, 환경 파괴의 의미보다 훨씬 더 먼저 와닿는 것은 여러분도 느끼시는 부분일 것입니다.

그렇게 사소한 대화가 새로운 프로젝트의 출발점이 되었습니다. 일회용품이라는 단어의 표현을 바꾸면 사람들이 좀 더 일회용품 사용에 대해 거부감이 들지 않을까에 대해 고민하고 설문조사를 만들었습니다.

지금부터 우리가 시작한 언어의 온도 프로젝트에 대해 소개하겠습니다. 우리는 언어의 마술사! 언어의 온도 개봉박두!

（페이지 상단 장식 문양）

문제인식 : 일회용품 언어의 문제점

일회용품이라는 용어와 관련하여 설문조사를 실시했습니다. 많은 사람들이 일회용품이라는 용어와 관련한 감정 어휘에 대해 '편리함'을 가장 많이 떠올리는 것으로 조사되었습니다.

kbs 다큐 '플라스틱 지구'에 따르면 2008년 조사에서 $1km^2$ 당 30 만개의 미세플라스틱이 검출되었고, 이는 플랑크톤 질량의 6배에 달하는 수치입니다. 이에 바다에 살고 있는 전체 물고기의 35% 가 뱃속에 일회용품 사용으로 버려진 플라스틱을 담고 있다고 합니다. 과거에 바다를 지배한 존재가 바이킹이라면 지금은 플라스틱이 우리 바다를 지배하고 있는 것과 마찬가지입니다!

인간의 편의를 위한 일회용품이 이제는 인간의 건강을 위협하고 있습니다. 지속가능하고 청정한 지구를 위해서는 일회용품에 대한 패러다임의 변화가 필요할 것입니다!

대안정책 및 한계점 : 일회용품에 대한 제재는 미약하다!

자원의 절약과 재활용 촉진에 관한 법률에 따르면, '대통령령으로 정하는 제품의 제조자등은 포장폐기물의 발생을 억제하고 재활용을 촉진하기 위하여 다음 각 호의 어느 하나에 해당하는 사항을 지켜야 한다.'라고 명시되어 있습니다.

1. 포장재질 · 포장방법(포장공간비율과 포장횟수를 말한다. 이하 같다)에 관한 기준
2. 합성수지재질(생분해성수지제품은 제외한다. 이하 이 조에서 같다)로 된 포장재의 연차별 줄이기에 관한 기준
③ 기준을 위반한 것으로 인정되는 제조자등에게 전문기관으로부터 제품의 포장방법과 포장재의 재질에 관한 검사를 받도록 명할 수 있다.
④ 포장방법과 포장재의 재질을 포장의 겉면에 표시하도록 권장하여야 한다.

하지만 이러한 조항들은 지구보다 제조사의 이익을 더욱 옹호하는 것과 같은 느낌이 듭니다. 이 이외의 수많은 규칙, 고시, 지침 등에서도 이러한 내용이 많습니다.

그렇다면 법이 기후를 지키지 않으면, 누가 지구를 지켜야 하나요? 소비자의 책임에 모든 기후 위기의 책임을 떠넘기는 것은 엄연히 국가의 방관이자 무능이라고 밖에 볼 수 없을 것 같습니다.

🧑‍🌾 공공정책 제안 : 일회용품 → 재활용 가능용품

사용자에게 쓰레기를 배출하지 않도록 하고, 배출할 경우 자원 재순환이 이루어지도록 분리 배출을 해야하도록 하고 있다. 환경을 위해 불편함을 감수해달라고 촉구하는 것이죠. 근데 본질적으로 쓰레기가 아니라는 점을 인식시켜야합니다. 인간의 편의를 위해 사용하는 모든 것들이 태생부터 쓰레기로 태어난 것이 아니기 때문에 그런 인식의 전환이 우선이 되어야 한다고 생각합니다. 이런 인식의 전환은 이익을 우선하는 기업에서 추구하는 활동이 아니기에, 공공기관에서 자료를 개발 보급하여 인식을 개선된 이후에 시민들의 자발적 노력이 촉구되어야 합니다.

첫째, **플라스틱과 관련된 제품의 용어를 바꿀 것**을 제안합니다. 별도의 사출과정을 통해 재자원화가 이루어지는 제품입니다. 하지만 많은 사람들이 플라스틱 제품을 일회용기라는 표현도 인식하고 사용 후 재자원화를 위해 분리수거하는 노력을 기울이지 않습니다. 일회용품은 법령으로 정해진 재자원화가 불가능한 플라스틱 제품에 한정되어 있습니다.

배달업체 배민에서는 '일회용 봉투에 다시 쓰면 지구도 0칼로리'라는 이름을 붙였는데, 배달음식을 시키고 늘상 버리던 봉투를 다시 활용하게 되었다는 댓글들이 많았습니다. 이에 따라 플라스틱 제품을 일회용품으로 인식하는 인식을 개선하고자, 새로운 용어로 바꾸는 것을 제안합니다.

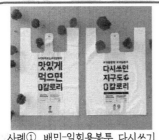
사례①. 배민-일회용봉투 다시쓰기

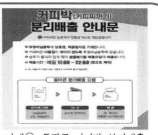
사례②. 동작구 커피박 분리배출

둘째, 커피 같은 경우도 원두의 0.2%만 활용하고 있습니다. 우리가 커피콩에 대한 소비를 커피 음용에만 국한시키고 있기 때문에 나머지 98.8%는 쓰레기로 처리되고 있습니다. 서울시 동작구를 비롯한 일부 지역에서는 커피박을 재활용가능폐기물로 수거하여 업무협약을 체결한 영농조합에 친환경 퇴비로 재활용되고 있지만 대부분의 지역에서는 폐기물로 버려지고 있습니다. 지자체장에게 별도의 분리수거 지침을 정하도록 되어 있는데, <u>지자체별로 통일된 분리수거 지침을 마련</u>하여 정비하고 <u>가정 내에서 재자원화가 가능한 것들은 가정 내에서 이루어질 수 있도록 캠페인이 장려</u>할 것을 제안합니다.

우리들의 작은 날갯짓 : 그린 드레스 및 가정내 재자원화

1단계 아파트 및 상가 밀집지역의 쓰레기장을 돌면서 쓰레

기로 많이 소비되고 있는 것들에 대해 조사했습니다. 실제 쓰레기장에는 플라스틱 페트병이 단연 압도적으로 많았고, 예상하지 못했던 의류 상품, 커피 찌꺼기가 많았습니다.

2단계 예상하지 못했던 쓰레기에 대한 사람들의 공감대를 확산하는 과정을 진행했습니다. 커피찌꺼기와 의류가 상당히 많이 버려지고 있음을 알리기 위해 국내외의 자료를 수집하여 홍보 포스터를 부착했습니다.

청소년 경남도민일보

3단계 패스트패션으로 인해 버려지는 수많은 의류 쓰레기를 최소화하기 위한 <u>의류 환경인증등급 마련</u>을 촉구하는 그린드레스 공공정책을 기획하여 광화문 1번가에 탑재하였습니다. 많은 사람들의 호응으로 행정안전부 끝장개발대회 자라나다 부문에서 최우수상을 수상하였습니다.

커피박 재자원화 - 커피 원두가 0.2%만 쓰고 버려진다고요?

22 views · Aug 31, 2021

가정 내 재자원화 캠페인 유튜브 채널 운영 (출처 : 세종중학교 유튜브)

또한 사람들이 제대로 인식하지 못하고 있는 커피박과 같은 쓰레기들을 가정에서부터 재자원화할 수 있도록 재활용 방안을 안내하는 유튜브 채널을 운영하고 있습니다.

유튜브 채널을 통한 가정 내 재자원화 방법 안내가 각 가정에 유익한 소식으로 다가가 많은 가정에서 기후 지킴이가 되어주길 바라고 있습니다.

③ 유퀴즈 온더 밀양강

한 친구가 말했습니다. "코로나19로 학교를 못갈 때, 가족과 함께 밀양강변에서 산책을 했는데, 강변 풀숲에 쓰레기들이 너무 많았어요"라고 말이죠. 다른 친구들의 반응은 어땠을까요? "어? 나도 봤어! 물티슈랑, 생수 병이랑 막걸리 병 등등등 엄청 많던걸"라는 대답이 나왔습니다.

여기서부터 이 프로젝트는 출발했습니다. 코로나19로 인한 사회적 거리두기로 대면 활동이 어려운 사람들이 동네의 공원, 산책로로 모여들었고, 자연스레 쓰레기들은 늘어만 갔습니다.

캠핑족들의 쓰레기 무단 투기와 같은 뉴스 보도들은 아이들을 더욱 흥분시켰습니다. 어른들이 무심코 쓰레기를 버리고, 아이들은 그것을 보고 자연스럽게 배워나갈 수 밖에 없는 현실을 극복하자고 말입니다.

그렇게 아이들은 어른들이 당연하게 하고 있는 나쁜 행동들을 고사리 같은 작은 아이들의 손으로 직접 일깨워주고자 첫걸음을 내딛었습니다. 가장 먼저, 장갑을 끼고 집게를 들고 밀양강변으로 찾아 떠났습니다. 실제로 마주한 강변에는 10년이 지난 맥주 병들과 과자 봉지 등 수없이 많은 쓰레기들이 있었습니다.

밀양강 플로깅 장면

이를 토대로 관련자료를 찾아보면서, 인간보다 오래 자연 속에서 죽지 않고 있는 플라스틱 쓰레기 문제의 심각성에 대해 깨달아갔습니다. 그리고, SNS에 쓰레기 퀴즈를 만들어 올리면서 지역사회의 관심을 높였습니다.

이 문제를 해결하기 위해 아이들은 함께 협력하여 고민했습니다. 쓰레기 무단 투기를 단속하는 AI CCTV를 설치하자는 의견도 있었고, 벌금 경고장을 붙이자는 의견도 나왔습니다. 심지어, 쓰레기를 버려서 적발된 사람들은 산책로 출입을 막자는 의견도 나왔습니다. 그렇게 험악하고 다소 무모한 의견들이 제시되던 중 한 학생이 "그런 처벌적인 것보다는 자발적이고 민주시민다운 방법을 쓰는 것이 어떨까"라는 의견을 제안했습니다.

그 말에 아이들의 태도는 180도 변했습니다. 우리 지역의 아름다운 강을 살리고, 환경을 살리는 그 첫걸음은 이렇게 시작했습니다. 바로 밀양강변 산책로를 '플로깅 코스'로 만드는 것을 기획했습니다.

플로깅이란 플로깅은 '이삭을 줍는다'는 뜻의 스웨덴 polcka

upp과 영어 단어 jogging의 합성어로 조깅을 하면서 쓰레기를 줍는 행동을 뜻합니다. 시민들이 모두가 밀양강 환경보호 지킴이가 된다면 밀양강은 이 세상에서 가장 아름다운 강이 될 것이라는 동화같은 믿음에서 출발한 것입니다.

자! 여기서 어른의 역할이 필요한 시점이 찾아왔습니다. "얘들아 근데, 강변에 아무나 표지판을 설치해도 돼?" 아이들은 순간 뿅망치를 한 대 맞은 것처럼 놀란 표정으로 저를 바라봤습니다.

그리고는 표지판은 누가 세우는지에 대해 열심히 인터넷 자료 조사를 하고, 시청에 문의하는 것으로 결정났습니다. 시청에 이메일로 동아리가 하고 싶은 일들에 대해 고민을 털어놓았습니다. 며칠 후 시청에서 답변이 왔습니다. 시청에서는 관할지역 행정복지센터로 인계했고, 설치 위치가 있는 가곡동의 동장님은 우리를 초대하여 이야기를 들으시고 흔쾌히 "OK" 답변을 주셨습니다. 거기에 아주 멋진 활동을 응원할테니 마음껏 우리 동네를 살려보라는 말씀과 함께 말입니다.

기쁜 소식을 동아리 친구들 모두에게 전달했습니다. 아이들은 숙제를 빼준 것처럼 기쁜 표정으로 화답했습니다. "OK" 사인 이후에는 아이들은 점심시간 쉬는 시간을 이용해서 플로깅 안내판 문구와 홍보 포스터 제작에 열중했습니다. 선생님이 "모여서 회의 좀 해라"라고 시키지도 않았는데 말이죠.

아이들의 회의록을 보고 나서야 얼마나 아이들이 고민을 많이 했는지 알 수 있었습니다. 지금은 더럽지만 나중에는 깨끗해질 우리 밀양강변을 상상하며, 그곳에 매년 돌아오는 연어가 고향에 다시 돌아와 아직 우리 동네는 살만한 곳이구나 느껴져서 사람들이 그곳을 흐뭇하게 바라볼 수 있으면 좋겠다는 마음이 오갔던 것 같습니다.

이제부터 우리들의 세이브 더 밀양강 자세히 소개하겠습니다.

🧍 문제의 인식 : 사람이 넘쳐나면 쓰레기는 모인다.

강변을 돌며 어느 곳에 쓰레기가 많이 모이는 지, 어느 시간 대에 사람들이 쓰레기를 버리는 지 관찰했다. 주로 여름에는 다리 밑 그늘이 있는 쉼터에서 사람들이 쉬다가 쓰레기를 많이 버리는 것으로 관찰되었다. 또한 4~6시 사람들의 산책과 운동이 늘어남에 따라, 마시던 생수, 땀을 닦은 물티슈, 반려견의 배설물을 치운 봉지가 많이 버려졌다.

밀양강변 다리 밑 그늘 쉼터　　　　밀양강변 산책로

산책을 다니던 사람들을 대상으로 인터뷰를 실시한 결과, 강변에 쓰레기통이 비치되어 있지 않아 쓰레기를 아무곳에 버리게 된다는 의견이 많았다. 우리들은 쓰레기통을 비치해놓는 것이 해결책일까에 대해 고민을 했지만, 우리의 대답은 'NO'였다. 쓰레기를 애초에 만들지도 버리지도 말아야 환경을 살릴 수 있다고 생각했기 때문이다. 그래서 버려진 쓰레기를 없애는 것과 쓰레기를 버리지 않는 것을 중요성에 대해 초점을 맞추고 활동을 계속 진행했다.

쓰레기통이 없어서 쓰레기를 버리게 된다는 말은 곧, 쓰레기를 버리는 것에 대해 죄책감을 갖지 않는다는 것이다. 이런 사람들이 많다는 것은 사회적 인식 전환의 필요성이 시급하다는 것을 보여준다.

대안정책과 한계점 : 쓰레기 무단 투기 적발이 어려운 실정

현재 우리나라는 쓰레기 무단투기로 적발되면 10만원 이상 최고 100만 원까지의 과태료가 부과되는 규정이 있음에도 길거리 쓰리게 무단 투기에 대한 문제는 여전히 계속되고 있다. 이러한 문제를 해결하기 위해 밀양시청은 태양전지형 블랙박스 감시 장치 50여 개소 운영 중이지만, 모든 곳을 감시할 수 없어 일부 지역에 국한된 단속만 이루어지고 있다.

실제로는 거리 곳곳을 모두 감시하는 일이 힘들뿐더러 상습적으로 무단투기를 일삼는 사람들이 쓰레기 무단투기를 심각하게 인식하지 않는 것에 큰 한계가 있다. 보다 근본적인 문제 해결을 위해서는 새로운 하수구 시스템 또는 감시장비의 도입보다는 시민들의 인식 개선이 우선적으로 필요할 것이다.

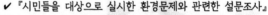

✔ 『시민들을 대상으로 실시한 환경문제와 관련한 설문조사』

우리의 공공정책 제안 : 민주시민의식은 우산이다!

밀양강변 산책로에는 많은 밀양시민들이 산책과 조깅을 즐기는 장소입니다. 최근 코로나19의 여파로 대면 모임이 줄어들게 되어, 밀양강변 산책로에 혼자 운동을 나오거나 반려동물과 산책을 나오는 인구가 많아졌습니다. 그럼에도 불구하고 쓰레기통이 구비되지 않아 많은 사람들이 페트병, 물티슈, 캔 등 쓰레기를 강변에 무단투기하고 있습니다. 이런 쓰레기들은 썩지 않고 강변이나 강바닥에 오랜 시간 머물며 우리가 마시는 식수, 환경을 파괴하고 있습니다.

첫째, 지자체별 <u>SNS에 환경과 관련된 캠페인</u>을 제안합니다. 지자체별 SNS를 탐색해본 결과 주로 여행 및 정책 알림과 같은 정보가 대다수였습니다. 시민들의 호응도를 높일 수 있는 환경 콘텐츠를 개발하여 지속적으로 게시한다면 환경에 대한 관심이 늘어날 것입니다.

환경부 미세플라스틱 카드뉴스   환경부 세계 환경의 날 카드뉴스

둘째, 산책로에 쓰레기통을 별도로 비치하는 것보다 플로깅을 안내하고 장려하는 피켓 및 물품을 비치하는 것을 제안합니다. 기업 및 지자체 등에서 플로깅 캠페인을 기획·운영하고 있으나 일회적 행사에 그치는 경우가 많습니다. 장기적으로 플로깅

이 일상화될 수 있도록 **일정 지역 및 코스를 플로깅 지역으로 운영하도록 게시판을 설치하고 플로깅 물품을 비치**할 것을 제안합니다. 그렇게 되면 시민들이 자연스럽게 산책을 즐기며 환경을 보호하는 활동을 지속할 수 있을 것입니다.

플로깅 캠페인(출처 : 광명시)　　　플로깅 캠페인 (출처 : 구리시)

우리들의 작은 날갯짓 : '세이브 더 밀양강' 캠페인

1단계　설문조사 결과 많은 사람들이 기후위기의 심각성을 들어는 보았지만 제대로 알고 있지 못하다는 결과가 도출되었습니다. 이에 환경 문제의 심각성에 대해 알리는 것이 가장 중요하다고 판단되어, 환경 캠페인부터 시작했습니다. **교내에서부터 각종 챌린지**를 실시하며, 우리 밀양강의 환경 문제에 대해 알렸습니다.

지구의 날 소등 릴레이　　대나무 칫솔 쓰기　　환경지키킹 캠페인
　　　　　　　　　　　　　　　　　　　　　　　(하루 한가지 실천)

2단계　SNS를 통해 환경 캠페인 **카드뉴스**를 제작하여 배포

하였습니다. 세이브 더 밀양강 활동을 하며 줍게 된 다양한 쓰레기들을 사진을 찍어 퀴즈 형식으로 콘텐츠를 제작하였습니다. 많은 사람들이 관심을 갖고 퀴즈에 임하였습니다. 흑백 처리된 사진의 진짜 쓰레기 모습을 본 사람들은 우리 지역사회의 환경 문제 심각성을 인지하게 되는 계기가 되었습니다.

환경 카드뉴스   퀴즈 형식의 카드뉴스

3단계 지자체와의 면담을 통해 밀양강 산책로를 플로깅 캠페인 장소로 선정하고, **플로깅 안내 게시판을 설치**하였습니다. 또한 집게와 장갑, 쓰레기 수거 마대자루를 비치하였습니다. 이후로는 매주 월요일 해당 지역에 방문하여 플로깅 키트를 점검 · 보충하고 있습니다.

안내판 문구   플로깅 안내판 설치 모습

④ THE 분리수거함

"여러분들은 분리수거에 대해서 얼마나 알고 계신가요?"
네, 어느 정도는 잘 알고 계시군요! 요즘 기후 위기로 인해 분리수거의 중요성에 대해 각종 매체들이 정보를 쏟아내고 있습니다. "그렇다면 플라스틱에는 몇 가지의 종류가 있는지 알고 계신가요?"

아마도 이 문제에 대해서는 답을 할 수 있는 사람과 그렇지 못한 사람으로 나눌 수 있을 것 같습니다. 플라스틱은 총 7가지의 종류로 나눌 수 있습니다. 재질별로 분리가 잘 되어야 재자원화가 가능합니다. 조금이라도 다른 재질이 섞여 있는 경우 재자원화가 불가능하기 때문에, 소각되거나 매립됩니다.

그렇다면 우리들은 페트병의 병뚜껑과 병뚜껑의 고리, 그리고 페트병을 잘 분류하고 버리고 있나요?

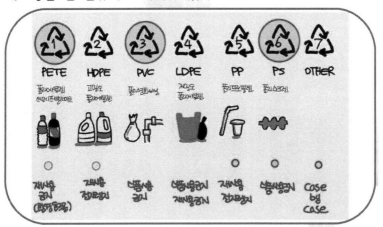

그렇지 않은 경우가 많아서 HDPE는 재자원화 가능성이 높은 자원임에도 불구하고 많이 버려지고 있어 안타까운 현실입니다.

물론 우리나라는 미국에 비하면 분리수거율이 훨~씬 높은 나라 중 한 곳입니다. 하지만, 못하는 나라와 비교하면 절대 발전할 수가 없겠죠?!

우리는 청정 대한민국을 만들기 위해서 노력을 기울여야만 합니다. 우리 지역사회의 특산물을 100년 뒤, 500년 뒤 우리 후손들에게 그대로 물려줄 수 있도록! 지금부터 THE분리수거 함 프로젝트 이야기를 여러분들게 소개합니다!

문제인식 : 분리수거장 인사이트 투어

밀양시 무안면 마흘리 산 229-4번지 일원(1,463㎡(442평))에 위치한 재활용품 선별장은 하루 10톤에 가까운 재활용품을 처리하는 곳으로 밀양시에서 전체 배출되는 재활용품이 모여드는 곳입니다.

하지만 16명의 인원으로 운영되다 보니, 인력이 턱없이 부족하여 재활용품을 선별하는데 많은 어려움을 겪고 있습니다. 특히, 페트 시트류인 테이크아웃 컵(페트·PP), 음식 용기(페트·OTHER) 등은 형태는 유사하지만 재질 구분이 힘들다는 이유로, 색이 첨가된 폴리스티렌 페이퍼(PSP)는 재생원료의 품질을 저하시키는 문제로 각각 선별되지 않고 매립·소각되고 있습니다.

출처 : 밀양시	2018년	2019년	2020년
플라스틱 (PET,PE,PP)	207.6톤	291.8톤	268.5톤
1회용비닐, 필름류포장재	84.5	208.7	236.3
판매금액	99,306천원	153,795천원	110,449천원

재활용품 자동화선별장 재활용 실태

한국소비자원에 따르면 4개 재활용품 선별시설을 조사한 결과 합성수지 재질 포장재 중 페트 시트류, 폴리스티렌페이퍼(PSP), 기타·복합재질(OTHER)은 재활용의무대상 포장재임에도 4개소 모두 선별하지 않고 있었다고 전했습니다. 용도·형태가 유사한 포장재에 다양한 재질이 사용되면서 수작업으로 진행되는 공정에서 재질을 구분하는데 한계가 있었기 때문입니다.

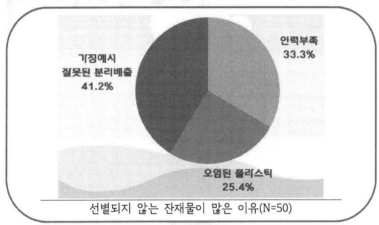

선별되지 않는 잔재물이 많은 이유(N=50)

재활용품 선별시설 근무자 설문조사에서 38명은 '선별인력 부족'에, 29명은 '세척되지 않고 배출된 것'에 47명은 가정에서는 올바른 분리배출 방법을 하지 못하는 것에 어려움을 느낀다고 응답했습니다. 올바른 분리배출이 절실하게 필요한 시점이며, 이를 지원하는 제도와 정책이 마련되어야 합니다.

🧑‍🔧 대안정책 및 한계점 :

경상남도 밀양시 조례 제1228호, [밀양시 생활폐기물 관리에 관한 조례]에 따르면 재활용품과 관련한 생활폐기물과 관련된 관리에 대한 지침을 만들어 놓고 있습니다. 하지만 세부적으로 분리수거 용기와 관련된 지침은 제시되어 있지 않습니다. 아파트를 제외한 대부분이 주택으로 이루어져 있어 민간 대행 업체의 직접 수거방식으로 이루어져 있기 때문인 것으로 보입니다.

그럼에도 불구하고, 밀양이 기후위기에 민감한 도시인 만큼 환경에 대한 철저한 관리가 필요합니다. 그러므로 분리수거에 대한 명확하고 철저한 지침이 만들어져야 한다고 생각합니다.

제 6조(분리수거용기의 설치·관리 등)
① 시장·군수·구청장은 분리수거용기 설치 및 관리가 가능한 지역에는 재활용가능자원 분리수거 용기를 지속적으로 확충·보급하여야 한다.
② 시장·군수·구청장은 분리수거용기 설치장소의 특성, 배출 품목·배출량 등을 고려하여 분리수거 용기의 종류를 결정하는 등 분리수거용기의 설치 및 관리기준 등을 정하여 시행하여야 한다.
③ 시장·군수·구청장은 단독주택지역의 지역여건에 알맞은 통합 전용용기를 선택하여 보급할 수 있다.

환경부 훈령 제 1462호, [재활용가능자원의 분리수거 등에 관한 지침]의 [별표 1] (분리수거대상 재활용가능자원의 품목 및 분리배출요령)에 따르면 '시장·군수·구청장은 지역 실정을 고려하여 통합수거 시스템을 운영하거나 거점 수거시설(재활용

동네마당 등)을 설치·운영하여 재활용가능자원의 수집이 확대될 수 있도록 노력하여야 한다.'라고 명시되어 있으며 '혼합재질로 구성된 품목은 최대한 재질별로 분리하여 배출'하여야 한다고 명시되어 있습니다. 이에 준하여 우리 밀양시도 조례안이 개선될 필요가 있습니다.

공공정책 제안 : 분리수거 조례안 개정해주세요!

아파트 단지에는 「주택건설기준 등에 관한 규정」 제38조에 따라 차량의 출입이 가능하고 주민의 이용에 편리한 곳에 생활폐기물보관시설 또는 용기를 설치하여 운영하고 있습니다. 다만, 원룸이나 단독/공용주택이 밀집한 곳에는 따로 운영되지 않고 요일별 분리배출 방법을 사용하고 있습니다. 코로나19로 인해 가정에서 생활하는 시간이 늘고, 배달음식을 먹는 횟수도 늘어나 쌓이는 쓰레기에 요일별 분리배출이 잘 지켜지지 않는 경우가 최근 늘어났다고 합니다. 이런 생활패턴의 변화와 더불어 두 가지 공공정책을 제안합니다.

첫째, <u>**단독 공용주택이 밀집한 곳에 분리수거함 설치**</u>를 제안합니다. 현재 대부분의 지자체에서 아파트와 같은 시설에 별도의 분리수거 시설 설치를 법안으로 만들어 놓고 있으나 단독/공용주택에 관해서는 요일별 수거 방식을 사용하여 분리수거가 제대로 되지 않거나 잘못된 요일에 배출되는 문제점들이 발생하고 있습니다. 일정 수준의 단독/공용주택이 밀집한 곳에는 공용 분리수거 시설 설치를 통해 분리수거를 장려할 수 있을 것입니다.

둘째, **분리수거를 더욱 세분화하여 분리수거 용기를 지정하는 조례 제정**을 제안합니다. 일부 기업에서는 자사 제품 용기를 재활용하기 위한 별도의 분리수거함을 운영 중에 있고 시민들의 호응이 높습니다. 이제는 지자체에서 추진해야 할 때입니다. 기존 운영되는 3~4종류의 분리수거함을 재자원화 용도별로 더 세분화한다면, 실질적인 분리 수거율을 높일 수 있습니다. 그래서 기존 플라스틱 분리수거함을 투명페트, 유색페트, 비닐(PP), 병뚜껑(HDPE), 기타 플라스틱(LDPE 등)으로 세분화하여 분리수거 용기를 법제화할 것을 제안합니다. 이렇게 바뀐다면 재활용품 선별장의 소수의 인력에 의존하던 분리배출을 일반 시민들이 일상적으로 수행하며, 실질적인 재활용률이 높아질 것입니다.

밀양시 투명 페트병 수거함   밀양시 음료수캔 수거함

＊＊＊＊＊＊＊

우리들의 작은 날갯짓 : THE분리수거함 제작 및 설치

1단계 분리수거의 중요성에 대해 누구보다 진지한 자세로 알리기 위해서는 우리에게도 배움과 환경행동 실천의 중요성에 대한 인지라는 선행조건이 필요했습니다.

그래서 환경운동가로 일하시는 최원형 작가님의 『착한 소비는 없다』의 저자 특강을 들었습니다. 이를 통해 우리 스스로 일회용품 소비의 문제점을 깨닫게 되어, 친구들에게 알릴 준비를 마쳤습니다. 그리고 학교로 돌아가서, 매월 마지막 주 금요일에 **친환경데이**를 만들어 등굣길에 친환경 게임(병뚜껑 알까기 등)도 즐기고, 환경 상식도 채우는 시간을 만들었습니다.

2단계 실행단계에서 먼저 '할 수 있다'라는 검증작업이 필요했습니다. 그래서 교내에서 먼저 플라스틱 분리수거를 세분화하여 3개월간 실시하였습니다. 매점과 등교할 때 가져온 플라스틱 쓰레기가 무분별하게 분리수거되고 있어서, 학교 분리수거장부터 바꿔보자는 인식으로 **플라스틱 병뚜껑 챌린지**를 실시하였고, 수거한 병뚜껑을 치약짜개로 재자원화하여 나누어주었습니다.

3단계 **플라스틱 전용 분리수거함**을 직접 제작하여 샘플 사진과 계획서를 가지고 시의원과 만남을 가졌습니다. 향후 설치방안에 대해 주민센터와 협조하겠다는 말씀을 들었습니다.

재활용 분리수거함 세분화   시의원 비대면(이메일) 면담

⑤ 그린 드레스 : 의류 환경 인증 의류택!

미세플라스틱 배출 35%는 아크릴 등 합성섬유 의류 때문이라는 것을 아셨나요? 우리는 옷에 너무나도 관심이 많습니다. 여러분들도 옷장에서 "오늘 뭐 입지?"를 매일 고민하실텐데요. 그만큼 옷장에는 수많은 옷들이 걸려있고, 쌓여있습니다.

하지만 우리는 계절이 바뀌면 또 새 옷을 사러가고 헌 옷을 버리고 있습니다. 환경에게 허락받지 않고 환경을 무단히 침해하고 있습니다.

우리는 그 문제에 대해 관심을 갖게 되었고, 정책을 만들게 되었습니다.

 문제인식 :

우리는 모두가 관심을 갖고 있지 않는, 옷에 부착되는 '의류택 (라벨)'을 바꾸고 싶습니다. 오늘날을 살아가는 현대인들에게 옷이란 무엇일까요? 의류 산업의 급성장과 패스트패션 트렌드로 인해 '한 철 입고 버리는 옷'이라는 개념까지 만들어졌습니다.

이로 인해 환경부의 환경통계포털에 따르면 2013년 138.8t이던 국내 하루 평균 의류 폐기물량은 2014년 213.9t까지 증가했다가 2015년 154.4t으로 줄어들었고, 2018년 다시 193.3t으로 늘어났습니다. 이제는 의류 산업의 생산, 판매, 구매, 관리, 폐기에 이르는 전 과정은 석유산업에 버금가는 공해입니다.

우리들이 이것을 가장 바꾸고 싶은 이유는 이 의류택(라벨)들 바꿔서 의류의 과잉 생산과 과잉 소비를 줄이고, 생산 과정에서도 환경을 담을 수 있는 친환경 원료, 생산공법을 도입하자는 것입니다. 폐기 또한 리사이클링이나 중고 거래 쇼핑몰 활성화를 통해 우리 환경을 지켜나갈 수 있습니다.

즉, 우리 인간은 남들에게 잘 보이기 위해서 새로운 계절, 새로운 해가 되면 새 옷을 장만하고 자신을 정돈하지만, 정작 우리를 위해 한없이 베풀어주는 환경에는 배려하지 않고 있습니다.

우리는 탄소배출을 줄이기 위해 우리의 피부와 가장 맞닿은 의류를 소비하는 활동에서부터 개선하여 전 인류의 피부와 맞닿은 환경을 보호하고자 합니다.

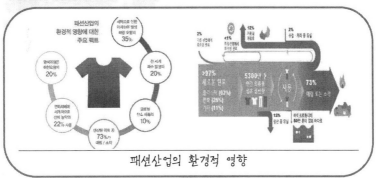

패션산업의 환경적 영향

<우리가 알고 싶어하지 않아 몰랐던 각종 통계 자료>

- 2017년 그린피스의 보고서에 따르면, 15년 전에 비해 사람

들은 의류를 60% 더 구입한 반면, 사용 기간은 절반으로 감소했습니다. 그만큼 의류 소비행위가 환경에 미치는 악영향이 증가하고 있습니다.

- 유엔환경계획(PNUE)은 "의류 폐기물 재활용률이 1%도 되지 않는다"면서 "대부분의 옷이 그대로 버려지는 경향이 유지되면 2050년엔 세계 탄소 4분의 1이 패션산업에서 소비될 것"이라고 밝혔습니다.

- 옥스팜 코리아는 영국에서 한 달 동안 새로운 옷 소비로 인한 온실가스 총량은 비행기가 전 세계를 900회를 돌며 배출한 온실가스 총량보다 많았다고 밝혔습니다.

- '기후변화에 관한 정부간 협의체(IPCC)'는 의류산업의 연간 이산화탄소 배출량이 세계 전체 배출량의 10%를 차지한다고 밝혔습니다.

- 세계 1인당 섬유 생산량은 1975년에서 2018년 사이에 5.9kg에서 13kg으로 증가했습니다.

- 의류산업이 사용하는 물의 양은 연간 1조 5000억리터에 이르는 것으로 추정된다. 청바지 벌을 만드는 데는 7000~1만 1000ℓ, 티셔츠 한 장을 만드는 데는 2700ℓ의 물이 필요하다.

대안정책 및 한계점 :

패스트패션은 패스트푸드처럼 싸고 빠르게 만들어지는 옷을 뜻하는데요. 싼 가격에 많이 팔리는 옷들은 그만큼 빨리, 많이 버려져서 환경에 해로워요. 옷을 만들 때 모든 과정에서 탄소 배출이 이뤄지고 물도 많이 쓰이는데요. 예를 들어 청바지 한 벌을 만들 때 필요한 물의 양은 한 사람이 10년 넘게 마실 수 있는 정도(7000리터)나 돼요. 나일론, 아크릴 등 합성섬유로 만든 옷은 잘 썩지 않는 데다 썩으면서는 독성 가스를 내뿜어 땅과 물을 상하게 하고요. EU가 패스트패션을 규제하려는 것도 이런 이유 때문이에요.

하지만 관련 법률이 없어, 패스트패션의 공장은 여전히 검은 매연을 내뿜으며 돌아가고 있습니다. 유럽연합(EU)의 경우에는 패스트패션을 규제하는 법을 만드는 데 팔을 걷어붙이기로 했어요.

사람들이 패스트패션의 문제를 조금씩 알게 되면서 이 분야 선두주자로 꼽히는 포에버21, H&M 등의 성장세가 꺾이고 있어요. 지속 가능한 패션을 추구하는 기업은 늘고 있고요. 명품 브랜드 중 지속 가능한 패션에 앞장서고 있는 버버리는 2040년까지 환경 친화 기업이 되겠다고 했어요.

우리나라도 빨리 패스트패션을 규제하고 슬로패션을 장려하는 정책이 마련되어야 할 것 같습니다.

공공정책 제안 : 분리수거 조례안 개정해주세요!

① 우리들은 [환경인증라벨]을 제안합니다.

첫째, 의류의 친환경성을 판별할 수 있는 환경 인증 라벨을 부착하는 것을 제안합니다. 원재료 조달과 가공, 제조, 유통, 포장, 판매, 폐기의 각 단계별로 환경에 미치는 영향을 단계화하여 남녀노소 소비자가 환경에 주는 피해 정도를 쉽게 인지할 수 있도록 등급을 부여하는 방법입니다.

현재 시행되고 있는 자동차 또는 가전제품에 부착된 '에너지

소비효율 등급 표'나 가구제조업체에서 사용하고 있는 '친환경 자재 등급표'와 유사한 형태로 의류 라벨에 부착하는 것입니다.

■ 세부 운영 내용

- 생산과정 :

① 직물 1kg 당 화학물질은 몇 g을 사용하는가?
② 자연적으로 분해되지 않는(폴리에스테르) 원료를 통해 생산하는가?
③ 환경 영향력이 낮은 소재(유기농 면이나 재활용 폴리에스테르)를 활용하는가?

- 유통과정

① 친환경 운송수단을 통해 유통되는가?
② 제품의 포장을 최소화하였는가?
③ 친환경 소재로 포장(의류택, 포장용지 등)을 하였는가?

- 판매과정

① 판매되지 않은 재고를 업체에서 소각처리 하는가?
 - H&M은 12톤의 재고, 버버리는 420억원의 재고를 소각
② 판매 매장의 환경은 친환경적(전구, 옷걸이 등 친환경 소재 사용여부)인가?

- 폐기과정

① 업체에서 재고를 소각 처리 하는가?
② 소각 시, 유해 화학물질과 탄소가 얼마나 배출되는가?
③ 폐기 직물을 재활용할 수 있는가?

② 우리들은 [친환경 의류택(재생종이 라벨)]을 제안합니다.

둘째, 친환경 종이 라벨을 부착할 수 있도록 각 제조업체에 홍보하는 것을 제안합니다. 코팅된 종이는 비닐을 벗겨내는 과정이 필요하기 때문에 재활용이 어렵습니다. 이를 위해 친환경 재생 종이로 의류택(라벨)을 제작할 수 있도록 제조업체에 제안할 필요성이 있습니다. 또한 이와 더불어 포장을 최소화하여 의류 소비로 인한 환경 피해를 최소화 할 수 있도록 해야 합니다.

재생종이…공공기관도 '푸대접'
(MBN뉴스,2020-10-20 09:38)

■ 세부 운영 내용
 - 재생종이를 활용한 의류택 제작

    – 재생종이 의류택 리사이클링 공모전 운영 (책갈피 만들기, 노트 만들기 등)

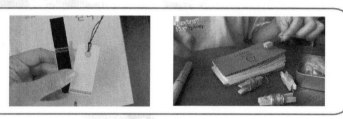

③ 우리들은 [의류 재활용 샵] 제안합니다.

셋째, 지자체 중심으로 의류 재활용 샵(가제 : 다시 입어 '봄') 운영하는 것을 제안합니다. 엘렌 맥아더재단의 조사 결과에 따르면 의류의 평균 착용 횟수는 36%나 감소했습니다. 결국 의류 폐기물이 늘어나 생산된 의류의 60%(맥킨지 조사 결과)가 1년 이내에 소각이나 매립됩니다. 새 제품보다 중고 제품을 선택하면 탄소 발자국을 60%~70% 줄일 수 있다. 아직 더 입을 수 있지만 버려지는 옷들은 미국 기준 매년 1000만 벌에 이른다. 이중 단 15%만이 재활용되고, 85%는 땅에 매립된다. 의류 수명을 1년 연장하면 탄소 발자국을 25% 줄일 수 있다.

 이를 예방하기 위해 지자체 중심으로 의류를 재활용하는 문화를 확산시키는 의류 재활용 샵을 운영할 수 있도록 제안합니다.

■ 세부 운영 내용
　- 에너지 효율이 높은 전구 사용
　- 옷걸이와 같이 자주 사용하는 제품은 리사이클링 제품 또는 수명이 긴 제품 사용
　- 의류 자가 수선 키트 작업대 비치
　- 의류 대여 사업 및 중고 의류 판매 사업
　- 의류 재활용시 에코 포인트 지급을 통해 의류 재활용 문화 확산 유도

　- 실생활에서 실천가능한 친환경 의류 행동 홍보

<그린 드레스로 탄소배출 99.99% 줄이기>
① 필요 이상으로 너무 많은 옷을 사지 않기 – 20%
② 충분히 입을 수 있는 옷을 버리지 않기 – 20%
③ 옷을 찬물로 세탁하기 – 10%
④ 작은 얼룩의 경우 전체 세탁보다 부분 세탁 – 20%
⑤ 건조기를 사용하지 않고 공기 중에 널어 말리기 – 30%

우리들의 작은 날갯짓 : THE분리수거함 제작 및 설치

준비 의류를 구매하는 연령별 소비자의 환경인식 실태를 조사했습니다. 우리 동네 시민들은 아직도 여전히, 새 계절이 되면 옷을 사러 백화점과 아울렛을 방문하는 등 패스트 패션에 대한 소비가 많은 편이었습니다.

실행 친환경 의류택과 친환경 포장 샘플을 제작하고 홍보했습니다. 패스트패션을 슬로패션으로 바꿔나가기 위한 첫걸음이었습니다.

친환경 의류택 샘플 제작　　　친환경 포장 샘플 제작

이후에는 제5회 정부혁신제안 끝장개발대회에 참가하여 친환경 의류 정책을 제안하였습니다. 자라나다부문 최우수상을 수상하였고, 행정안전부에서는 정책으로 마련될 수 있도록 검토하겠다는 답변을 들었습니다.

끝장개발대회 시상식

효과 우리가 수상한 소식은 지역사회에 신문으로 보도되었고, 보도된 뉴스로 인해 지역사회에서 패스트패션의 문제점에 대해 조금씩 인식해나가기 시작했습니다.

청소년이 만든 친환경 정책 훌륭해 (출처 : 경남도민일보)

⑥ 가로수 수비대와 가로수먼트(도시숲) 보호법

지역사회의 환경 문제점과 관련하여 동아리 친구들끼리 이야기를 나누던 중이었습니다.

"가로수에 왜 이렇게 쓰레기를 버리는 거야?"

"가로수에 현수막을 밧줄로 꽁꽁 매다는 것이 맞는거야?"

"우리 부모님께서 횟집을 하시는데,
가게 앞에 어릴 때 봤던 나무가 점점 죽어가는 것이 이상했어!"

"가로수 때문에 인도가 울퉁불퉁해졌는데,
나무가 자랄 집이 너무 작아서 그런거 아니야?"

한 친구가 가로수에 대한 이야기를 꺼내기 시작하니 아이들이 저마다 보고 느낀 가로수 관련 문제점을 늘어놓기 시작했습니다. 어른들도 그런 장면들을 많이 목격했을 것이고, 그런 일들을 어른들이 저질렀을 것입니다. 어쩌면 어른들이 보는 세상보다 아이들이 바라보는 세상이 조금 더 현실을 그대로 담아내는 것이 아닐까요?

여러분은 오늘 집을 나서서 가장 먼저 **바라본** 가로수의 이름과 나이를 아시나요? 사람들이 가로수에 관심을 갖게 만들기 위한 우리의 도전! 여기서부터 가로수를 지키기 위한 가로수 수비대 활동이 시작되었습니다.

문제인식 : 가로수에 대해 우린 무관심하다.

여러분들은 나무를 어디에서 가장 자주 보시나요? 바로 일상생활에서 마주치는 길거리의 가로수들일 것입니다. 매일 보면서도 가로수에 대해 아무도 관심을 갖지 않습니다.

오늘 내가 집을 나와서 가장 먼저 살펴본 가로수의 나무의 종류와 나이에 대해 알고 계신가요? 어쩌면 우리는 옆집에 사는 반려견에 대해 더 잘 아는지도 모릅니다. 우리가 그렇게 관심을 갖지 않던 나무들은, 쓰레기 투기 장소로 변했고, 음식물 쓰레기를 비롯하여 횟집과 같은 음식점 근처의 가로수들은 염분의 피해로 시름시름 앓고 있습니다.

그것뿐만이 아닙니다. 불법으로 현수막을 매달아, 노끈에 칭칭 감겨 있기도 하고 사고로 상처가 난 나무들은 그대로 방치되어 죽어갑니다. 또한 기준 없이 가지치기를 해서 가로수가 닭발처럼 앙상하게 변하기도 합니다. 여기에서 그치지 않고 살아있는 나무를 무단으로 베어버리기도 합니다. 지금부터 그 이야기를 들려드리려고 합니다.

"가로수에 불법으로 설치된 현수막"

대부분의 지자체의 경우 지정 게시대에 걸려있지 않고 가로

수에 걸린 불법 현수막들은 시청 불법광고물 정비 기간제 근로자가 철거하고 있는 실정입니다.

그러다보니, 가로수는 현수막의 매섭게 묶인 노끈, 철사, 못 등에 의해 쓸리고 패여 상처가 난 모습들을 쉽게 찾아볼 수 있습니다. 이런 상처들은 나무의 부피 생장에 지장을 주며 나무가 성장할 때 줄기를 파고들어 치명적인 영향을 줍니다. 몇몇 가로수는 이미 고사하여 세금을 들여 다시 심어야 하는 악순환이 반복되고 있습니다.

우리 동아리가 길거리에서 만난 한 환경미화원에 따르면 "시청에서 따로 업체랑 계약을 해서 불법 현수막을 제거하는 것으로 알고 있다"라고 전했습니다. 또한 "현수막을 자르기 위해 사용하는 가위와 노끈에 의해서 가로수에 상처가 많아지고 있고, 특히, 사람들이 많은 교차로에는 더 심하다"며 한숨을 쉬었습니다.

실제 우리 동아리가 탐사를 하며 가로수 실태 점검을 한 결과, 가로수에 현수막이 내걸린 모습들이 많았고, 불법 현수막이 제거된 자리에도 그대로 가로수를 옥죄며 남아있는 노끈들을 쉽지 않게 찾아볼 수 있었습니다.

"여러 가지 이유로 벌목되고 상처입고 있는 가로수"

보행자 통행 안전상의 이유 등의 도로 정비 사업, 하천 정비 사업, 지하의 가스·수도·전기 등 매설물의 피해를 막는다는 이유로 가로수들이 알지 못하는 이유로 벌목되고 있습니다.

이것뿐만이 아닙니다. 지자체의 도시 숲 등의 조성 및 관리 조례, 그리고 산림청의 가로수 조성 및 관리 규정에 따라 각 지자체는 매년 2월 중순, 가로수 가지치기 작업을 시작합니다. 그런데 문제는 가로수 가지치기 작업이 기준 없이 무분별하게 이뤄지고 비용 문제로 과도하게 강전정이 이루어지면서, 도심 미관을 해치고 가로수의 생육에 부정적인 영향을 미칩니다. 이는 법적으로 가지치기에 대한 규정이 명확하게 정해지지 않아서 입니다. 지자체가 정한 조례 자체가 무용지물인 상황입니다.

"지자체도 관심을 주지 않는 가로수"

통계청, 산림청, 시청 그 어디에 물어봐도 가로수에 대한 정확한 실태조사는 제대로 이루어지지 않고 있었습니다. 관리 주체인 시청 산림녹지과에서도 정확한 가로수에 대해 파악하지 못하고 있어 앞으로 추진하겠다는 답변만을 받았습니다. 가로수는 그렇게 지자체의 무관심 속에서 방치되고 있었습니다.

대안정책 및 한계점
" 가로수에 부착된 현수막 관리 "

경상남도 밀양시 조례 제1361호, [밀양시 옥외광고물 등의 관리와 옥외광고산업 진흥에 관한 조례]에 따르면 옥외광고물은 허가 및 신고에 의해 지정 게시대에 설치되어야 한다. 또한, 공중에 대한 위해 우려가 있거나 건강하고 쾌적한 생활환경을 위해 법령에서 정하는 지역·장소·물건에는 설치가 금지됩니다.

하지만 옥외광고물법의 적용을 받지 않는 현수막도 있다. 단체나 개인이 적법한 정치활동이나 노동운동을 위한 행사 또는 집회 등에 사용하기 위해 설치한 현수막이 그것이다. 그래서 집회 기간 또는 선거기간에는 가로수에 현수막을 무단으로 설치하는 경우가 빈번하다. 결과적으로 집회의 자유, 정치활동이라는 이름으로 가로수를 무단으로 훼손하고 있는 것입니다.

조례에서는 자율관리협정, 광고물 제거, 불법광고물 수거 보상금 지급 등의 법률을 마련하고 있지만, 실제적으로 인력부족 등의 이유로 잘 관리되지 못하고 있다. 대부분의 지자체의 경우 지정게시대에 걸려있지 않고 가로수에 걸린 불법 현수막들은 시청 불법광고물 정비 기간제 근로자가 철거하고 있는 실정입니다.

제8조(자율관리협정) 영 제26조제2항에서 "자율관리협정에 필요한 사항으로써 조례로 정하는 사항"이란 다음 각 호의 사항을 말한다.
1. 자율관리협정의 승계, 변경 및 폐지에 관한 사항
2. 광고물등의 위치·모양·크기·색깔을 표시한 디자인 시안(試案)
3. 광고물등의 유지·관리 및 감시활동계획
4. 자율관리협정의 이행을 위한 사업계획서
5. 그 밖에 시장이 자율관리협정에 필요하다고 인정하는 사항
제21조(제거된 광고물등의 관리 등) ① 시장은 영 제40조에 따라 광고물등을 제거한 경우에는 그 광고물 등이 있던 곳에 제거한 취지와 그 광고물 등의 보관장소 등을 표시하여야 한다. 다만, 표시하기 곤란한 광고물등에 해당하는 경우에는 그러하지 아니하다.
제11조의2(불법유동광고물 수거 보상) 시장은 도시미관 정비를 위하여 현수막, 벽보, 명함식 전단지 등 불법유동광고물을 정비·수거한 사람에게 별표 1의2 보상금 지급기준 및 신청요건에 따라 예산의 범위에서 광고물 수거 보상금을 지급할 수 있다.

가로수를 길러내기 위해 막대한 비용과 관리가 필요한 만큼 가로수에 불법으로 부착되는 광고물에 대한 철저한 관리가 필요합니다. 그러므로 보다 책임을 명확하게 부여하는 철저한 지침이 만들어져야 할 때입니다.

"가로수 가지치기 및 벌목 기준 미흡"

우리나라 산림청 '가로수 조성 및 관리규정(고시)'의 가지치기 기준에는 가지를 얼마나 잘라야 하는지 기준이 제시돼 있지 않습니다. 지자체 가로수 관련 고시도 비슷한 수준이다. 서울

시 '가로수 조성 및 관리 조례'에서도 '가로수는 자연형으로 육성하는 것을 원칙으로 한다' 등 원론적인 수준의 언급이 전부입니다.

지자체의『도시림등의 조성 및 관리 조례』에 따르면 수종 선정, 병해충방제 등 관리에 관련된 법률은 제정되어 있지만 벌목과 관련된 명확한 기준은 없어, 지자체마다 가로수를 무단 벌목하고 가지치기하는 것에 법적인 제재를 가할 수 없는 실정입니다.

같은 법 제13조에 가로수를 손괴한 자에 대한 신고에 관한 법률이 있는데, 오히려 지자체가 신고를 당할 짓을 하고 있는 것은 아닌가하는 의문이 듭니다.

> 제13조(신고 등) ① 시장은 다음 각 호의 어느 하나에 해당하는 사항을 최초로 신고한 자(이하 "신고인"이라 한다)에게 예산의 범위에서 포상금을 지급할 수 있다. 다만, 가로수를 손괴한 자가 자진 신고하는 경우에는 포상금을 지급하지 아니한다.<개정 2017.12.21.>
> 1. 가로수 조성 및 관리 시설물을 고의로 훼손하는 행위
> 2. 교통사고 등 인위적으로 훼손하는 행위
> 3. 가로수 또는 조경시설을 다른 용도로 이용하는 행위
> 4. 그 밖의 가로수에 대한 인위적인 피해를 유발하는 행위

세계 각국에서 과도한 가지치기(강전정·topping)를 금지하며 관련 캠페인도 함께 벌이고 있다. 미국 국가표준협회의 '수목관리표준(A300 Tree Care Standards)'을 보면, 가지치기 때 25% 이상의 나뭇잎을 제거하지 말라고 명시하고 있습니다. 또 국제수목관리학회도 수목관리 가이드라인(Arborists Certification Study Guide)에서 가지의 25% 이내에서 가지치기하도록 제한하고 있습니다. 미국 워싱턴 자원국이 제작한 포스터에서는 '강전정은 안전하지 않다(Topping trees is not safe.)'라고 강조하고 있기도 합니다.

 공공정책 제안 : 시민이 가로수를 사랑할 수 있도록!
"현수막 책임자 제도 신설"

가로수가 불법 현수막으로 인해 고통받는 것을 막기 위해 현수막 책임자 제도를 신설할 것을 제안합니다. 현수막 책임자 제도에는 현수막을 게시하는 게시자의 인적사항을 적어서 불법 현수막이 가로수에 게시되는 것 자체를 예방하는 취지로 운영될 것입니다.

"도시숲(가로수먼트) 보호법을 제정!"

사람들은 가로수를 생명체로 존중해주지 않는 것 같습니다. 우리는 가로수에 대한 애정을 높이기 위해 가로수 보호법을 제정하고, 우리 동네 가로수 지도, 시민 가로수 수비대, 가지치기 기준 마련 등의 법률을 마련할 것을 제안합니다.

미국의 뉴욕시에서는 10년에 한 번 자원봉사자의 지원을 받아 스트리트 트리 센서스(street tree census)'라고 하는 가로수 지도를 만들고 있습니다. 뉴욕시의 사례를 바탕으로 더 업그레이드 하여 시민들이 가로수 지도 제작에 참여하여 가로수 지도를 제작하고, 가로수에 식재시기, 애칭 등이 적힌 이름표를 달아 가로수에 관심과 애정을 갖게 한다면, 가로수의 피해를 줄일 수 있을 것입니다.

이러한 것을 증명해줄 수 있는 사례로 최근 경북 경산의 한 주택의 능소화가 SNS에서 핫플레이스로 자리매김하였던 적이 있습니다. 하지만 누군가 능소화 나무를 절단했고 전국적으로 많은 사람들이 안타까워했던 일이 있습니다. 이런 사례를 토대로 볼 때, 가로수 지도는 가로수에 대한 생태학적 인식전환과 더불어 가로수를 빅데이터화하여 지역사회의 새로운 문화요소로 자리매김할 수 있을 것입니다.

우리들의 꿈은 사람과 나무가 공존하는 도시입니다. 최근 과천 센트럴파크 푸르지오 서밋, 인천 소내론현구역 에코메트로 3차 더타워 등 아파트의 이름들이 다양해지고 있습니다. 특히, 숲이 보이면 `포레스트`, 공원과 가까우면 `파크`, 강변, 호수변이라면 `리버` 또는 `레이크` 등을 조합하는 방식으로 자연의 이미지를 많이 대입하고 있습니다. 하지만 우리는 사람이 사는 도시의 나무들이 숲을 이룰 수 있는, 공존을 위한 배려와 노력은 부재한 실정입니다. 앞으로 아파트먼트 대신 가로수먼트를 만들어나갈 미래를 꿈꾸며 도시숲(가로수먼트) 보호법을 제정하고자 합니다.

우리들의 작은 날갯짓 : 가로수를 반려동물처럼 아껴요!
" 현수막 책임자 제도 조례 제정 건의 "

1단계 현수막의 실태를 파악하는 활동을 진행했습니다. 2022년 대통령 및 전국동시지방선거로 인해 현수막들이 많이 내걸렸습니다. 기존에 내걸린 현수막과 함께 온 동네는 현수막 천지가 되었습니다. 우리는 이때 거리로 나가 현수막이 걸린 위치를 살폈습니다. 지자체에서 정한 게시대에 걸린 현수막, 전봇대에 걸린 현수막도 있었지만, 가로수에 묶여 걸려있는 현수막은 참 안타까웠습니다. 현수막에 바람에 펄럭이면서 가로수에 묶여있는 줄로 인해 가로수 나무 속살이 훤히 드러날 정도로 표피가 까이고 너덜너덜해진 경우도 있었습니다.

2단계 불법으로 가로수에 설치된 현수막을 지자체의 허락을 얻어 수거하는 활동을 실시했습니다.

지역민들에게 불법으로 설치된 현수막의 문제점을 알리기 위해 수거된 현수막을 장바구니로 재자원화하는 활동을 실시하여 시민들에게 무료로 나누었습니다. 나누어줄 때, 불법 현수막을 통해 만들어진 것이라는 점을 알려, 가로수에 설치되는 불법 현수막에 대해 관심을 가질 수 있도록 했습니다.

3단계 현수막 재자원화와 관련한 지역사회 구성원들의 응원에 힘입어, 국민 제안을 통해 밀양시청에 옥외광고물 등 관리법에 현수막 책임자 제도를 표시하는 제·개정안을 제안하였습니다.

이 제안을 통해 지자체에서 현수막이 가로수에 불법으로 부착되는 문제 상황에 대한 청소년 및 지역사회 구성원의 관심이 크다는 것을 인지하고, 앞으로 법률 제·개정시 우리가 제안한 내용이 반영되기를 기원하고 있습니다.

"도시숲(가로수먼트) 보호법을 제정!"

1단계 밀양시청과 경남 산림환경연구원에 문의하여 가로수의 현황 파악에 대해 문의하였습니다. 하지만 정확한 가로수 식재 파악은 하지 않고 있다고 전했으며, 앞으로 용역을 통해 식재 파악을 위해 힘쓰겠다는 답변만이 돌아왔습니다. 이렇게 밀양시의 수많은 가로수들은 나무의 수종과 식재 시기 등을 전혀 알지 못한 채 무방비 상태로 방치된 것과 다름없다는 것을 알게 되었습니다.

2단계 회의를 통해 가로수 지도를 제작하기로 결정하였습니다. 가로수 지도를 만들기 위한 플랫폼을 선정하기 위해 거듭 고민했습니다. 가장 많은 사람들이 사용하고 있는 '구글맵'을 활용하여 가로수 지도를 제작하기로 결정하고 동아리 구성원들이 동네를 나누어 가로수 탐사에 나섰습니다. 직접 동네를 돌며 가로수의 사진을 찍고 사진에 기록된 GPS 좌표를 구글맵에 입력하여 가로수 지도를 만들어 나갔습니다. 가로수의 나무 수종은 네이버 렌즈를 활용하여 찾았고, 찾기 어려운 나무의 경우 조경업을 하시는 학부모님께 문의하여 지도를 구체화해나갔습니다. 또한 나무 이름표를 제작하여 매달았습니다. 수종과 식재시기 등 나무에 대한 정보와 나무가 아플 때 연락을 취할 수 있는 연락처를 기록했습니다.

3단계 만약, 내가 다니는 길거리, 버스를 기다리는 정류장, 신호를 기다리는 횡단보도 근처의 나무에 '초록이', '샛별이' 등 나무의 이름과, 나무의 수종 및 식재 시기, 가로수에 이상이 있을 경우 연락하는 긴급 연락처 등의 정보가 적혀있다면 어떨 것 같나요? 우리가 우리 동네를 중심으로 시작한 이 공공정책은 비록 법적인 강제력이나 구속력은 없지만 길거리를 돌아다니는 모두에게 가로수에 대한 애착을 갖게 만들고 모두를 가로수 수비대로 역할하게 만들 것입니다.

또한 『도시숲등의 조성 및 관리 조례』에 가지치기 기준, 가로수 수비대 관련 시민 모니터링단, 뿌리 양육 환경 보장 등을 명시한 제·개정안을 제안하였습니다.

7 산불 시민감시대 with 농촌지역 the분리수거함

여느 때처럼 학교에서 수업을 하고 있던 중이었습니다. 그런데 1교시가 끝나고 쉬는 시간, 열어놓은 창문에서 검게 그을린 나뭇잎이 바람을 타고 들어왔습니다. 벚꽃잎이 들어오는 일은 간혹 있었지만 검은 잎이 창문으로 들어오는 일이 없었기에 더욱 놀랐습니다.

그래서 운동장으로 나가 하늘을 바라봤을 때, 검은색 잿더미가 눈발처럼 날리고 있었습니다. 하늘도 붉게 변해있었습니다.

"이게 무슨 일이야?"

"전쟁이라도 난거야?"

"무슨 탄 냄새가 나는 것만 같아!"

"야! 뉴스 봐! 밀양에 산불이 났대!"

산불을 마주한 우리 친구들은 4교시 수업이 마치고 점심시간 외출증을 끊고 거리로 나갔습니다. 산불은 이미 멀리 퍼져 많은 나무들이 타버렸고 사람이 사는 곳 근처까지 다다랐습니다. 미세먼지 측징기로 측정한 값은 무시무시했습니다.

5월 31일 1교시에 발생한 산불은 일주일이 넘도록 꺼지지도 않았고, 전국지방동시선거에 가려져 사람들의 관심도 적었습니다. 그래서 그 문제를 우리가 알리기 위해 밖으로 나갔습니다.

밀양 산불

🧑 문제인식 : 산불이 점점 늘어나고 있다!!!

2022년 지구가 전 세계적으로 폭염과 가뭄 등으로 기후위기를 겪고 있는 지금, 우리 지역사회에 나무가 처한 위험성을 깨닫게 되었습니다.

그중 산불로 인한 산림의 파괴가 심각한 상황입니다. 지난 5월 31일 오전 9시 25분, 밀양시 부북면 춘화리 산 13-31번지 일대 화산 중턱에서 발생한 산불은 발생 4일째, 약 72시간여 만인 지난 3일 오전 10시께 주불을 진화하였습니다. 이 산불로 인해, 산림 당국이 추정, 산불 영향구역(피해구역)은 763㏊로, 축구장(7천140㎡) 기준으로 하면 축구장 1천 개 이상 면적이 피해가 발생했습니다. 1㏊당 1200~1300그루의 나무가 서식하는 점을 고려하면, 소실된 나무는 약 100만 그루입니다. 밀양 산불로 인해 약3510t의 이산화탄소를 흡수하는 산림의 기능이 소실된 것입니다.

여러분들은 나무를 어디에서 가장 자주 보시나요? 바로 일상생활에서 마주치는 길거리의 가로수들일 것입니다. 매일 보면서도 가로수에 대해 아무도 관심을 갖지 않습니다.

더욱이 심각한 문제는 산불 영향구역을 벗어난 나무도 상당수 뿌리가 훼손되거나 수관화(무성한 부분만 태우며 빠르게 확산하는 불)에 의한 열해를 입어 2~3년 안에 고사할 가능성이 80%라고 합니다. 산불이 나기 이전 산림의 모습으로 돌아가는 데에만 30년, 생태계의 모든 기능이 돌아오기까지 복원하려면 100년이 걸립니다.

산림청에 따르면 2022년 산불은 586건에 달합니다. 지난 10년 발생한 평균 481건의 산불을 이미 넘어섰습니다. 산림청

권춘근 박사에 따르면, 기후 위기로 인한 자연 발화도 있지만, 모든 산불의 발생 원인 97% 이상이 사람의 실수에 의해 일어난다고 합니다. 지금부터 그 이야기를 들려드리려고 합니다.

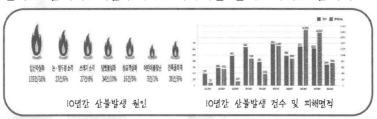

10년간 산불발생 원인   10년간 산불발생 건수 및 피해면적

" 산불은 사람이 만든다. "

지난 산불을 돌이켜보면, 산불의 대부분은 산림이 인접한 농촌 지역에서 발생했음을 알 수 있습니다.

구분	2022.07.06 까지		10년평균(12-2021)		2021년	
	건수	면적(ha)	건수	면적(ha)	건수	면적(ha)
입산자 실화	158	1,277.48	160.6	424.084	133	79.63
쓰레기소각	52	913.07	63.7	107.358	27	4.18
담뱃불실화	42	12.95	25.9	29.482	34	91.82
주택화재비화	38	38.23	25.8	42.788	20	7.25
기타	330	22,531.03	204.9	483.395	135	583.01
합계	620	24,772.76	480.9	1,087.107	349	765.89

산불의 발생 원인 분석에 따라 등산객 등에 의한 입산자 실화, 도로 공사 중 비화, 전신주 스파크 등 다양한 원인이 있지만, 농촌 지역의 불법 소각 문제가 단연 산불의 불안감을 증대시키는 주요한 요인일 것입니다.

불법 소각을 하는 원인은 무엇일까요? 바로 생활 폐기물 처리가 어렵거나 처리 방법에 대한 인식이 낮기 때문인 것 같습니다. 또한 대단지 아파트처럼 쓰레기 공동 분리수거함이 없어서, 주 2회밖에 오지않는 쓰레기 수거 차량 때문에 등 불법 소각의 원인은 그렇게 많지 않습니다. 그러한 간단히 이유로 아직까지 농촌지역에는 생활폐기물에 대한 불법 소각 및 매립이 많이 일어나고 있습니다.

조금만 관심을 가지면 해결될 수 있는 문제이기에 우리는 이 문제를 해결하기 위해 학교 밖으로 찾아나섰습니다.

" 불법소각, 재수없으면 걸린다 "

선생님 차를 타고, 농촌 지역을 돌아다니며 불법소각의 흔적이 있는 곳, 불법소각이 자주 일어나는 지역을 탐사했습니다. 그리고 마을 주민들과 인터뷰를 시도했습니다. 불법소각 문제에 대해 인터뷰를 꺼려하셨지만, 하나같이 돌아온 대답은 쓰레기를 처리할 곳이 없어서 태울 수밖에 없다는 대답이었습니다.

대안정책 및 한계점

" 현행법은, 불법소각을 응보적 처벌로만 예방한다! "

"폐기물 불법소각"이란 영농부산물·폐비닐·생활쓰레기 등을 노천에서 소각하거나 아궁이 등에서 연료로 사용하는 것을 의미합니다.

> 제8조(폐기물의 투기 금지 등) ② 누구든지 이 법에 따라 허가 또는 승인을 받거나 신고한 폐기물 처리시설이 아닌 곳에서 폐기물을 매립하거나 소각하여서는 아니된다.
> 제68조(과태료) ③다음 각 호의 어느 하나에 해당하는 자에게는 100만원 이하의과태료를 부과한다.

환경부에 따르면, 농촌 지역에서 생활폐기물 불법소각에 따른 적발 건수가 상반기에는 약 3천건, 하반기에는 약 7천건으로 급증한다고 밝혔습니다. 이는 겨울철에 들어서면서 비닐 등 농업 잔재물을 태우는 행위가 자주 일어났기 때문입니다. 불법소각 단속을 통해 1억 9천300만원의 과태료를 부과할만큼 농촌 지역에서는 불법 소각이 만연하게 일어나고 있습니다. 이러한 불법 소각 행위는 산림에 인접한 논이나 밭두렁에서 많이 일어나다보니, 산불의 위험도도 높은 편입니다.

현재 농촌지역 불법소각 합동점검 운영지침에 따라, 농촌지역 불법소각 특별 점검단은 시·군의 농정부서가 주관하고, 환경부서와 산림부서는과태료 부과 등 행정처리 후 처리실적을 농정부서에 전달하는 형식으로 진행되고 있습니다.

< 근거 법령 >
○ 폐기물관리법 제2조(정의) 제1호, 제8조(폐기물의 투기 금지 등) 제2항,
　　제68조(과태료) 제3항, 시행규칙 제10조(폐기물처리시설 외의 장소에서의 폐기물처리)
○ 산림보호법 제53조(벌칙), 시행령 제36조(과태료의 부과기준)
○ 지자체 폐기물관리에 관한 조례 및 동 조례 시행규칙
○ 미세먼지 저감 및 관리에 관한 특별법 제21조(계절적 요인 등으로 인한 집중관리등)

밀양시에서도, 쓰레기 불법소각 등으로 몸살을 앓고 있는 취약지역에서 쓰레기 불법 소각 행위에 대한 점검 및 단속을 새벽과 낮, 야간에 실시하고 있다고 밝혔지만, 인력 부족의 문제로 잘 이루어지지는 않는 실정입니다.

밀양 부북면 쓰레기 불법소각행위 집중 단속　　　불법소각행위가 일어나고 있는 페드럼통

" 쓰레기는 두 번만 수거할게요! "

우리 밀양시에 따르면, 농촌 지역에 해당하는 읍면지역은 일반쓰레기 수거차량(압착·압축식)으로 같이 수거하는 방식을 취하고 있습니다. 또한 생활쓰레기 불법투기, 불법소각시 100만원이하 과태료가 부과하고 있습니다.

주 2회만 쓰레기 수거 차량이 동네로 방문하다보니, 각종 생활 폐기물을 집안에 방치할 수가 없어서 태우는 일이 빈번하게 일어날 수밖에 없는 상황이었습니다.

읍면동	수거지역	수거일자					
		월	화	수	목	금	토
부북면	전 자연마을 거점수거	일반/음식쓰레기		일반/음식쓰레기	재활용/대형폐기물	일반/음식쓰레기	
산외면	전 자연마을 거점수거		일반/음식쓰레기 재활용/대형폐기물		일반/음식쓰레기		일반/음식쓰레기
산내면 상동면		일반/음식쓰레기		일반/음식쓰레기		일반/음식쓰레기 재활용/대형폐기물	
무안면 청도면			일반/음식쓰레기	재활용/대형폐기물	일반/음식쓰레기		일반/음식쓰레기

공공정책 제안 : 시민이 가로수를 사랑할 수 있도록!
"농촌지역 공동 the 분리수거함 설치"

홍성 두리마을 공동 쓰레기 집하장 　　주2회 수거차량 및 공동집하장 배출 안내

아파트 단지에는 「주택건설기준 등에 관한 규정」 제38조에 따라 차량의 출입이 가능하고 주민의 이용에 편리한 곳에 생

활폐기물보관시설 또는 용기를 설치하여 운영하고 있습니다. 다만, 농촌지역에는 따로 운영되지 않고 요일별 분리배출 방법을 사용하고 있습니다. 요일별 분리배출도 수거 횟수가 적어 불편이 이만저만이 아니었습니다.

이러한 문제를 해결하기 위해 농촌지역에 공동 the 분리수거함 설치를 제안합니다. 홍성의 두리마을은 공동 쓰레기 집하장을 별도로 설치하여 타지역의 모범 사례로 꼽히고 있습니다. 지자체마다 조례로 정하여, 농촌 지역에 the 분리수거함을 설치 운영한다면, 불법 소각을 막고 재자원화까지도 높일 수 있는 효과적인 정책이 될 것이 분명합니다.

기존의 주 2회 수거차량 방문으로 고정 비용과 인력을 현재와 같이 유지하면서도 불법 소각을 예방하는 최선의 방법이 될 것이 분명합니다.

" 산불감시원 규정 → 시민 감시원 규정으로 "

불법소각 예방을 위한 시민 감시원 운영 규정
[시행 2011. 2. 7.] [산림청훈령 제1071호, 2011. 2. 7., 제정.]

산림청(산불방지과), 042-481-4256

제1장 총칙
제1조(목적) 이 규정은 불법소각을 사전에 예방하기 위해 등산객을 비롯한 시민 모두를 감시원으로 활동하도록 책임과 권한을 부여함으로써 산림에 막대한 피해를 주는 산불 발생을 사전에 차단하기 위하여 산불감시원 운영에 관한 세부 사항을 규정함을 목적으로 한다.

불법 소각 예방을 위해 등산객을 비롯한 시민들의 책임과 권한을 부여하는 조례 및 규정을 제정할 것을 제안합니다. 현재 산림청의 산불감시원 운영 규정을 확대하여 손쉽게 운영할 수 있을 것이라고 생각합니다. 현재 산불감시원 운영 규정에는 산불감시원 선발, 운영, 포상과 관련된 규정이 있습니다.

이를 확대 적용하여 모든 시민들이 산불 원인의 대표적인 원인 중 하나인 불법소각을 감시하고 예방할 수 있도록 하는 권리와 책임을 부여하는 것입니다. 산림의 혜택을 누리고 있기에 우리 지역사회 구성원 모두가 산림의 보호에 대한 책임과 의무가 있습니다.

우리들의 작은 날갯짓 : ①농촌지역, 공동 쓰레기 집하장!

1단계 불법 소각 및 산불과 관련한 실태조사 및 설문조사를 진행하였습니다. 먼저 지역주민과의 면담을 통해 주거 밀집 지역이 아닌 면 지역을 찾아가 어르신과 직접 면담하며 생활폐기물의 폐기 방법에 대해 여쭈었습니다. 읍·면 지역의 경우는 생활폐기물 일주일에 한 번 정도 수거가 이루어져 폐기물 처리가 곤란하다고 하셨습니다. 그래서 어쩔 수 없이 소각하는 경우가 많다고 인터뷰를 통해 듣게 되었습니다. 이후에는 지자체를 통해 읍·면 지역의 정확한 생활폐기물 처리 방법에 대해 확인하였습니다.

2단계 먼저 논과 밭 주변에 무단으로 버려진 쓰레기들의 문제를 해결하기 위해 많이 버려지는 곳에 분리수거에 대한 경고문을 붙였습니다.

다음으로 읍·면 지역의 생활폐기물 차량의 동선을 확인하고, 해당 동선에 분리수거함을 설치하였습니다. 일주일에 한 번 수거되는 만큼 기존의 플라스틱, 캔, 병, 종이, 일반쓰레기 이외에 플라스틱을 투병 플라스틱, LDPE, HDPE의 세 가지로 나누었습니다.

분리수거 안내 스티커　분리수거함 제작　농촌지역(읍면지역) 분리수거함 설치

이렇게 세세하게 나눈 이유는 일주일에 한 번 수거 차량이 방문하는 만큼 분리수거함이 넘치는 것을 예방하고, 재자원화를 높이기 위해서입니다.

3단계 분리수거함을 설치한 한 달여 뒤에 재방문하였을 때, 분리수거함은 지역주민들에게 잘 사용되고 있었습니다. 사용해 보신 지역민과의 면담 과정에서 '시에서 정식으로 튼튼한 분리 수거함을 설치해주면 더 좋겠다'라는 말씀을 들을 수 있었습니다.

우리들의 작은 날갯짓 : ②모든 시민이 산불 감시대!

1단계 읍·면지역 행정복지센터를 방문하여 불법 소각이 자주 일어나는 지역에 대해 알아보았습니다. 생각보다 겨울철 불법 소각이 많이 일어나고 있다는 것을 알게 되었습니다. 산불과 불법소각에 관한 캠페인을 지속적으로 실시하고 있음에도 줄어들지 않는 불법 소각으로 인해 지자체에서 고민이 많다는 것을 알게 되었습니다.

2단계 불법 소각이 자주 일어나는 지역 주변의 등산로 입구에 스티커를 부착하였습니다. 스티커에는 올해 우리 지역사회에서 일어난 밀양 산불에 대해 잊지 말아줄 것을 당부하는 내

용과 우리 모두 불법 소각의 감시자가 되어줄 것을 안내하는
문구를 적었습니다.

시민 감시대 홍보 스티커 부착

산불 경고 메시지 부착

이렇게 세세하게 나눈 이유는 일주일에 한 번 수거 차량이
방문하는 만큼 분리수거함이 넘치는 것을 예방하고, 재자원화
를 높이기 위해서입니다.

3단계 등산객들은 우리의 메시지를 보고 SNS에 올려주시기
도 하고, 오픈채팅으로 담배꽁초 쓰레기 무단 투기 및 소각과
관련하여 제보를 해주시기도 합니다. 등산객들이 불법 소각 감
시자가 될 수 있음을 그리고 그 결과 자연스럽게 불법 소각
문제가 줄어들 수 있다는 기대와 희망이 보이기 시작했습니다.

 ⑧ 재자원화 홍보단 프로젝트

 ① 커피박 놀이터

커피는 2%만 사용되고 나머지 98%는 버려지고 있습니다. 정말 심각하지 않나요? 우리나라는 1인 커피 소비 연 353잔으로 세계 평균 2.7배이며, 2018년 커피전문점 매장 외식 전체 3위에 해당하는 커피 소비량이 많은 나라입니다. 그렇기에 더더욱 우리가 버려지는 커피박에 대해 고민해야하지 않을까요? 커피박으로 컵 코스터, 화분, 연필까지도 만들 수 있답니다. 지금 시작해볼까요?

① 커피박과 밀가루를 섞어요!
- 커피박 종이컵 한 컵
- 밀가루 종이컵 한 컵
※ 커피박은 잘 말린 것이면 좋습니다!

② 소금물을 넣고 골고루 섞어주세요!
- 소금 종이컵 반 컵!
- 물 종이컵 한 컵 반!

③ 손으로 주물럭주물럭 커피 점토가 완성될 때까지 반죽해주세요!
※ 모양 틀이 없다면 종이컵에 점토를 붙여서 화분을 만들 수도 있어요!

④ 모양틀에 넣고 꾹꾹 눌러주세요
- 건조한 곳에서 이틀 정도 말리면 완성!

② 병뚜껑 놀이터

병뚜껑은 HDPE 재질로 PET 재질의 페트병과는 다른 소재로 분리 배출되어야 재자원화가 가능하지만 분리배출되지 않고 있어서 재자원화에 어려움을 겪고 있습니다. 재자원화를 촉진 하고자 분리배출하는 문화를 형성하고자 병뚜껑 놀이터를 안 내하게 되었습니다.

① 소분함 만들기

① 크기가 같은 페트병 2개를 준비해주세요!
   (목부분 2개, 뚜껑은 2개 필요)
   ※ 똑같은 페트병이면 더 좋답니다!

② 목부분을 실톱 또는 커터칼로 깔끔하게 잘라주세요!

③ 사포가 있다면, 자른 부분을 문질러 주세요!

④ 글루건으로 절단면을 도포하고, 양쪽을 꾹 눌러서 붙여주세요!

출처 : 행복발전소 정리수납

🌱 ② 코스터 만들기

① 고무매트를 깔고, 병뚜껑의 색상을 배치하여 코스터를 디자인해 봅니다.

---

① 다리미의 열을 충분히 데운 후, 꾹 누른 채로 수 분간 기다립니다.

---

① 어느 정도 평평해지면, 코스터 완성 끝!

※ 출처 : 에코 챌린지 기자단

🌱 ③ 추가 활동!

스마트폰 거치대

병뚜껑 달력

③ 현수막 놀이터

 일년에 만들어지고 버려지는 현수막의 양만 어마어마하죠?
우리는 폐기되는 현수막을 직접 수거하여 에코백을 만들어보
았습니다. 도로에 매연을 맡으며 오래 매달려 있었던 만큼, 현
수막을 먼저 깨끗이 세척하고 제작하는 것이 좋겠죠?

에코백 만들기

① 현수막 고르기
  에코백으로 만들면 좋을 것 같은 색상이 담긴
  부분을 고릅니다!

② 에코백 모양으로 재단합니다.
  버리는 박스로 미리 모양 틀을 만들어두고,
  현수막을 가위로 잘 잘라줍니다!
  ※ 가위는 주방 가위가 더 좋아요!

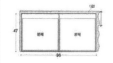

③ 현수막 만들기
  핸드 재봉틀로 뒤집어서 재봉을 해줍니다.
  재봉이 다 완성되면 다시 뒤집어서
  손잡이 끈을 매달고 에코백 완성!

로컬 파이오니어
교사 메뉴얼

"학생의 배움은 교사의 질을 뛰어넘을 수 없다."

유의미한 마을 연계 교수학습을 위해
철저한 사전 준비가 필요합니다.
일회성 또는 보여주기 식의 마을 연계가 아닌,
지속적인 마을 연계 활동을 위해 고민해야 합니다.

1단계	지역사회 연계 교육활동 계획 수립
2단계	지역 자원 탐색 및 네트워크 구축
3단계	교육과정과 지역 자원 연결한 교수학습 계획 수립
4단계	지역사회 연계 교육활동 실행 및 운영
5단계	지역사회 연계 교육활동 평가

마을 연계 교육활동이란?

1) 정의

지역사회 연계 교육활동이란 학교나 학교 밖 배움터가 교육의 가치를 공유하고 이를 마을 속에서 풀어가면서 서로 연결되어가는 것을 이야기합니다. 마을 속에서 이루어지는 공동체 교육은 아이들이 마을에 관해서, 마을을 통해서, 그리고 마을을 위해서 하는 학습을 일컫는데 아이들은 마을 속에서 자신의 삶과 연관된 학습을 심화시킬 수 있게 됩니다. 이렇게 마을에서 같이 자라고 배우며 함께 성장한 아이들은 다음 세대 구성원으로서 서로를 신뢰하고 협력할 수 있으며 한 사회의 구성원들이 가지고 있는 신뢰, 연대(네트워크), 지역성은 바로 그 사회의 사회적 자본이 되기도 합니다. 즉, 그 사회의 지속 가능한 성장을 위한 원동력이 되는 것입니다.

마을에 관한 교육	학생이 속해 있는 마을과 지역에 대한 역사적, 자연적, 문화적, 산업적 특성 및 발전성에 대해 학생들에게 배움의 기회를 제공함. 마을지도를 만들고, 마을의 다양한 역사나 문화를 학교에 소개하는 일이 마을에 대한 교육임(서용선 외, 2016).
마을을 통한 교육	학생들은 지역사회의 교육인프라와 자원(인적·문화적·환경적·역사적)을 통해 배움을 실천하며, 실습과 체험, 상호작용과 공감, 자연과 사회적 맥락 속에서 이루어지는 지식의 실천적 구성, 종합적 역량을 바탕으로 한 문제해결 등의 과정을 통해서 이루어질 수 있음(조윤정 외 2017). 지역에 산재해 있는 기존의 교육 인프라와 자원을 발굴하고, 이를 연대시키며 적극적으로 활용할 수 있는 적극적인 체제가 구축되어야 함(백용범, 2019).
마을을 위한 교육	학생들은 자기 삶의 터전, 이웃, 공동체를 위하여 할 수 있는 일을 고민하게 되고, 이러한 고민과 배움의 결과는 그 지역공동체의 지속가능한 발전을 위한 초석이 됨. 즉 학생들은 민주시민으로 성장하게 되고 그 지역의 일원으로 정주하게 됨(조윤정 외 2017).

지역사회 연계 교육활동을 의미하는 용어와 개념이 다양하게

사용되고 있지만 학습자들의 배움을 중심으로 학교와 마을, 교육공동체 구성원들과 마을주민이 의미 있는 관계를 맺고, 공동체의 과제를 중심으로 함께 배우고 실천하면서 마을의 주체로 서가며 학교와 교실과 마을을 학습생태계로 만들어가는 교육과정이라는 공통점을 찾을 수 있습니다.

<지역사회 연계 교육과정에 대한 제 개념>

문재현 (2015)	학교교육과정에 마을이라는 자원을 활용하는 차원을 넘어 지역공동체를 살리기 위한 교육과정
시흥시 (2016)	학교교육과정과 부합하는 마을 교육 프로그램의 연계 운영으로 온마을이 학교로서 배움의 장이 되는 것
백윤애 외 (2016)	학생들의 앎과 삶을 일체화하기 위해 학교와 지역을 연계하여 운영하는 교육과정
백용범 (2019)	학교가 마을과 의미 있는 관계를 맺고 교육을 실천하면서 공동체적인 삶에 필요한 학생들의 역량을 키우고 마을의 주체로 성장시키면서 마을을 하나의 학습생태계로 만들어가는 교육과정

2) 목적

교육부는 2015 개정교육과정에서 '학생의 실제적 삶 속에서 무언가를 할 줄 아는 실질적 능력'의 개념으로 핵심역량을 정의하였습니다. 그리고 학교생활 전반에 걸쳐 핵심역량을 키우는 것이 중요하다는 것을 제시하고 있습니다(교육부, 2016).

교육문제	지역사회 문제
공교육의 붕괴와 교육격차, 사회 격변에 대한 교육의 대응성 문제	인구 감소, 고령화 지방소멸

⇓

지역사회 연계 교육과정

공교육의 붕괴와 교육격차, 사회 격변에 대한 교육의 대응성 문

제가 꾸준히 대두되고 있는 현실에서 마을결합교육은 학생들의 삶의 터전인 마을에서 학습 소재를 가져옴으로써 삶에 통합되는 지식과 민주 사회를 살아갈 시민으로서의 역량을 기르는 것에 중점을 두고 이루어지고 있습니다(문유진, 2021).

수업에서 배운 것을 마을이라는 실제 삶의 맥락에서 경험하고, 그 경험을 다시 학교 수업에서 다루면서 배움과 삶을 연계시키고, 알고 있는 것을 삶 속에서 실천하는 것이 주요한 교육활동이면서 목표가 되어야 합니다. 그러한 의미에서 수업에서 배운 내용을 마을에서 조사, 탐구하면서 마을 속에서의 삶과 앎을 일치시키고자 하는 마을교육과정의 중요성이 점점 증대되고 있다고 말할 수 있겠습니다(조윤정 외, 2017).

3) 관련 규정
  (1) 마을교육공동체 활성화 지원 조례
① 지역의 학생, 학부모, 지역 주민이 교육의 주체로서 참여
② 모든 교육주체와 교육기관이 교육에 대한 공동의 책무성을 가짐.
③ 민주적 의사결정을 통해 교육 자치 기반을 구축(문유진, 2021)

마을 연계 교육활동 방법

구분		각 월											
		01	02	03	04	05	06	07	08	09	10	11	12
1 단계	지역사회 연계 교육활동 계획 수립 - 지역사회 연계 교육활동 가치 공유 - 지역사회 연계 교육활동 방법 및 주제 협의		■	■					■				
2 단계	지역 자원 탐색 - 지역 자원 탐색 - 지역 자원 네트워크 구축			■					■	■			
3 단계	교육과정과 지역 자원 연결 - 지역사회 연계 교육활동 주제와 교과 성취기준 연결 - 성취기준 재구조화 결과를 학습 목표로 기술 - 차시별 수업 계획 수립 - 세부 운영 방법 수립 - 평가 계획 수립			■									
4 단계	지역사회 연계 교육활동 실행 - 활동 단계에 따른 진행						■	■	■	■	■	■	
5 단계	지역사회 연계 교육활동 평가 - 운영 결과 협의 - 다음 해 예산 신청		■						■				

1) 1단계: 지역사회 연계 교육활동 계획 수립

- 지역사회 연계 교육활동 가치 공유

· 지역사회 연계 교육활동이 충실하게 운영되기 위해서는 신학기 교육과정 워크숍에서 학교가 추구하는 비전을 찾는 과정 중 교육공동체를 통해 지역사회의 특성에 대한 의견을 최대한 수렴해야 함. 나아가 학교 교육을 통해 구현하고자 하는 시민상을 지역사회에서의 시민상으로 구체화시켜야 함. 이를 바탕으로 교육 공동체가 공동의 목표를 가지고 지역사회 연계 교육활동을 수행할 수 있도록 해야 함.

<지역사회 연계 교육활동 가치 공유 과정 예시>

교육 공동체 대상 지역에 대한 의견 수렴	
학교 교육을 통해 구현하고자 하는 시민상	▪ 전인적 성장을 바탕으로 자아정체성을 확립하고 이를 바탕으로 다양한 발상과 도전을 하는 창의적인 사람이자 인류 문화를 발전시키는 교양 있는 사람 ▪ 공동체 의식을 가지고 세계와 소통하는 민주 시민으로서 배려와 나눔을 실천하는 더불어 사는 사람
지역사회에서의 시민상	▪ 지역사회의 환경문제를 탐색하고, 환경문제를 합리적으로 해결할 수 있는 방안을 찾는 과정에서 변혁적·창의적 역량을 신장시키는 시민 ▪ 지역사회 환경문제 해결을 위한 실천을 통해 민주시민으로서의 역량을 발현할 수 있는 시민

- 지역사회 연계 교육활동 방법 협의
  · 지역사회 연계 교육활동을 실천할 교육과정을 수립함에 있어 모든 교육 공동체가 참여할 기회를 보장하기 위해 교육과정의 유형 등을 교육 공동체에 안내하고 민주적 의사결정 시스템을 통해 교육 공동체의 의견을 수렴해야 함. 이때 안내할 수 있는 내용에는 다음과 같은 것을 들 수 있음.

<지역사회 연계 교육활동 방법 유형별 내용>

유형	내용
기존 교과	기존 교과의 민주시민 및 지역사회와 연계된 내용 요소를 강화해 교육과정을 재구성함. 각 수업 시간에 진행하되, 여러 교과가 다양한 시각에서 지역사회에 접근할 수 있는 교과 간 융합 수업이 효과적임.
창의적 체험활동	창의적 체험활동에서 다루는 인권 교육, 다문화 교육, 환경.지속가능발전 교육 등의 범교과 학습 주제와 연계해 운영함.
지역별 자율 교육과정	각 지역별로 학교 자율 교육과정(학교자율과정(경기), 학교자율특색과정(충남), 자율탐구과정(충북), 학생 생성 교육과정(경북), 학교교과목(전북) 등)을 통해 지역사회 연계 교육활동 등 민주시민교육을 편성 및 운영함.
주제선택 활동	중학교 자유학년제 주제선택 활동 중 하나를 민주시민교육의 맥락에서 지역사회 연계 교육활동으로 구성함.
선택 과목	선택 교과로 학생 주도성 관련 과목을 개설해 평등, 다양성, 평화, 연대 등의 민주시민교육 핵심 주제를 지역사회와 연계해 운영함. → 과목 개설은 교육과정 편성 및 승인 등 별도의 절차를 통해 이루어지므로 장기적인 계획 수립이 필요함.

[이럴 땐 어떻게?]
교육과정 워크숍에서 지역사회 연계 교육활동을 다룰 만큼 교육 공동체가 지역사회 연계 교육활동에 대한 관심이 없어서 선생님들과 지역사회 연계 교육활동의 가치를 공유하고 싶어도 할 수가 없어요. 이럴 땐 어떻게 하면 좋을까요?

학교 안 전문적 학습 공동체의 커리큘럼 속 일부에 지역사회 연계 교육활동에 대한 내용을 다루면 자연스럽게 선생님들과 지역사회 연계 교육활동에 대한 이야기를 나눌 수 있는 기회를 마련할 수 있습니다.

단, 지역사회 연계 교육활동을 통해 어떠한 민주시민 역량을 함양할 수 있는지에 대한 독서토론이나 외부 전문가의 초청 연수를 실시하더라도 연수를 듣는 것보다 지역사회 연계 교육활동의 운영 가치와 실천 방안 등에 대해 이야기를 나누며 교사 간 철학을 공유하는 것에 중점을 두어야 합니다.

예를 들어, 미디어 프로젝트를 진행하고자 할 때 미디어란 무엇인가? 그리고 이 프로젝트를 통해 우리가 궁극적으로 키우고자 하는 학생의 역량은 무엇인가에 대한 인문학적이고 철학적인 고민이 필요합니다. 공동체가 함께 의사 결정을 하기 위해서는 의사 결정의 원칙이 되는 철학이 있어야 교육활동의 효율성 및 지속성을 확보할 수 있기 때문입니다.

─ 지역사회 연계 교육활동 주제 협의

· 민주시민교육의 주제별 교육 내용과 교육 공동체의 의견을 고려하되 민주시민교육의 가치와 연결되면서도 여러 교과와 연계 가능한 주제를 설정할 수 있음. 여러 교과에서 지역사회 연계 교육활동을 진행하기 위해서는 '지속가능한 우리 마을'과 같이 폭넓은 접근이 가능한 주제를 설정하는 것도 효과적임.

<민주시민교육 주제 및 가치>

민주시민교육 주제(영역)	민주시민교육 가치(시민성 요소)
인권, 다양성, 연대, 환경, 평화, 민주주의, 노동, 미디어, 안전 등	자율, 존중, 연대, 공공, 책임 등

2) 2단계: 지역 자원 탐색

─ 지역 자원 탐색

· 지역사회 연계 교육활동의 주제와 관련된 지역 자원의 유형에는 기관자원, 비기관자원이 있음. 각각의 특징은 아래와 같이 정리할 수 있음.

<지역 자원 유형별 특성>

구분		특성
기관 자원	공공 자원	▪ 의회, 박물관, 도서관, 문화회관, 공공 복지관 등 지자체 내 공공기관을 포괄함. ▪ 공공성을 가지고 있으므로 접근이 용이함. ▪ 공적 예산이 투입되어 운영되므로 경제적 문제에서 비교적 자유로움. ▪ 관료적인 성격으로 인해 실질적·효과적 체험 운영에 소극적일 수 있으므로 학교 단위의 접근보다는 교육청/교육지원청과 연계한 행정적 조치가 필요함.
	민간 자원	▪ 지역 시민 단체, 복지재단, 개인 사업체를 포괄함. ▪ 경제적 문제와 관련되어, 별도 예산을 마련해야 함. ▪ 업무협약식, 인증, 현판 게시, 위촉장 제작 및 수여, 배너 홍보 등을 병행할 수 있음.

비 기관 자원	인적 자원	▪ 마을 교육 공동체의 구성원 중에서 인적자원을 물색할 수 있음. 또한 꼭 저명한 인물이 아니더라도, 지원이 가능한 학부모 중에서 인적자원을 확보할 수도 있음.
	문화 자원	▪ 지역사회 문화 공간이나 학교에서의 문화 체험을 활용하는 것 외에도 무형문화재 등 지역사회의 전통적 가치를 알 수 있는 문화자원을 선정할 수 있음.
	환경 자원	▪ 현장체험학습 장소를 지역사회의 자연 경관을 품고 있는 장소로 선정함으로써 자연스럽게 지역사회 연계 교육활동을 진행할 수 있음. 그 밖에 지역 내 환경 오염이 발생하거나 발생이 예상되는 장소에 대한 정보를 바탕으로 환경 살리기 방안을 계획 및 실천하는 것도 가능함.
	역사 자원	▪ 지역의 역사적 장소에 방문하지 못하더라도 그 장소에서 실제로 일어난 일의 의미를 파악하고 공감하는 과정을 통해 지역사회 고유의 정서를 이해하고 지역사회를 새롭게 인식할 수 있음.

- 학교에서 지역 자원으로 찾아가는 지역사회 연계 교육활동을 위해 단위 학교에서 각 자원을 직접 조사하고 적절한 자원을 섭외하기에는 어려움이 있음. 따라서 아래와 같이 각 교육(지원)청별 마을 연계 교육자원 지도 등을 활용해 지역 자원을 탐색하는 것을 추천함.

- 지역 자원이 학교로 찾아오는 지역사회 연계 교육활동을 위한 마을 강사 및 프로그램을 조사 및 섭외하기 위해 아래와 같이 각 교육(지원)청별 마을 강사 및 프로그램 신청 웹사이트를 활용하는 것을 추천함.

민주시민 교육주제		지속가능한 우리 마을		
		평화	다양성	환경
지역 자원	유형	인적자원, 기관자원		
	내용	소통, 표현과 상처치유 프로그램	세계로 가는 퓨전떡 만들기	자연과 더불어 살아가는 건축물 만들기

- 수업 전 민주시민교육의 주제와 교사가 마을 프로그램에 기대하는 바를 마을 강사와 공유하는 시간을 가져야 지역자

원 연계 교육활동의 효과를 높일 수 있음.

- 교육(지원)청별 지역 자원 안내 자료나 마을 강사 및 프로그램 신청 웹사이트가 구축되어 있지 않은 경우에는 아래와 같이 각 지역 미디어를 통해 지역 자원의 내용을 확인할 수 있음. 미디어에서 확인한 지역 자원으로 찾아가거나, 지역 자원을 학교로 찾아오게 함으로써 지역사회 연계 교육활동을 위한 지역 자원을 확보할 수 있음.

- 각 지역 미디어의 내용 중 민주시민교육 주제와 관련된 것을 선별해 지역사회 연계 교육활동에 활용하면 적절한 지역 자원을 찾을 수 없어 지역사회 연계 교육활동을 할 수 없는 상황을 극복할 수 있어 효과적임. 나아가 환경, 인권, 소수자, 성평등, 장애인, 다문화 등에 대한 지역사회 현안은 지역사회를 넘어 민주시민, 세계시민 교육을 위한 지역 자원이 될 수 있음.

- 지역사회에 대한 이해는 교사보다 지역사회에서 오랜 기간 거주 중인 학생이나 학부모가 높을 수 있음. 따라서 지역자원 탐색 시 학생을 비롯한 다양한 교육공동체의 의견을 수렴하는 것도 고려할 수 있음.

- 각 지역의 지역화 교육 자료로, 초등학교 3~4학년 사회 수업

뿐 아니라 중등 수업에서도 사용할 수 있는 자료가 다양하게 발간되고 있으므로 해당 자료의 내용을 통해서도 아래와 같이 지역 자원과 해당 자원을 활용한 교수.학습 방향을 탐색할 수 있음.

[이럴 땐 어떻게?]
농어촌의 작은 학교라 주변에 인적·물적 자원도 찾기 어렵고, 찾더라도 기관들의 의식이 미흡해요.

인적·물적 자원이 꼭 저명한 인물이거나 거대한 기관일 필요는 없습니다. 학습자가 지역사회 속에서 성취기준을 습득할 수 있다면 그 누구나 지역사회의 인적·물적자원이 될 수 있습니다. 특히, 재학생 중 학부모가 교수·학습과정에서 중요한 지역사회 인적 자원의 기능을 하기도 합니다. 예를 들어, 농업에 종사하시는 분이 농업에 사용되는 비닐 폐기와 관련된 환경 문제로 고민을 하고 있다면, 학생들과 같이 환경 프로젝트를 진행할 수 있는 인적자원이자 물적자원이 될 수 있습니다.

주변에 인적·물적 자원이 있기는 하지만 한정적인 자원이라 늘 연계하던 인적·물적 자원과 늘 하던 교육활동을 반복하고 있어요. 다양하고 새로운 교육활동을 할 방법이 없을까요?

지역 자원을 한 번 더 활용함으로써 지역 자원에 대해 깊이 있게 이해할 수 있는 수업을 진행할 수 있습니다. 이를 위해서는 지역 자원을 연계하는 데에 있어 학생의 주도성을 점진적으로 늘리는 것이 방안이 될 수 있습니다. 처음에는 지역 자원을 경험하는 수업을 진행했다면 같은 지역 자원을 한 번 더 활용하는 수업에서는 학생이 지역 자원을 어떻게 경험할지, 이를 통해 무엇을 할 수 있을지까지 계획하고 이를 실천하는 수업을 진행함으로써 학생들이 지역 자원을 이해하고 민주시민으로서의 역량을 함양할 수 있을 것입니다.

- 지역 자원 네트워크 구축
· 학교 구성원이 교체되더라도 지역 연계 교육활동이 지속적으로 이루어지기 위해서는 학교와 지역 자원 간 상호협력 및 책임감을 공유할 수 있는 네트워크 구축이 중요함.
· 공공기관의 성격을 갖고 있는 기관이라면 업무협약 체결을 통해 지속적인 교류-협력 방안을 사전 협의하는 것이 효과적임. 기간과 상호 간의 역할이 명시된다면 지속적인 활동이 가능함. 이때 업무담당자와 관리자가 함께 업무협약을 조율

한다면 추후 변동될 여지가 줄어들 것임. 유관기관들이 지속적으로 소통-공유할 수 있는 연락망, SNS를 통해 상호간 이익을 도모할 수 있도록 협의체를 구성할 수 있음.

<지역사회 협의체 구성 방법>

방법	내용
업무 협약	▪ 지속적인 소통과 정보 교환이 필요한 경우 효과적임. ▪ 장애인 관련 사회참여 프로젝트를 진행할 때, 장애인 복지관과 업무협약을 맺고 장애인에 대한 정보 수집 및 효과적인 문제 해결 방법에 대한 실현가능성 점검 과정을 진행함.
협의회	▪ 지역사회 문제해결 방안에 대한 최종 결정 이후, 활동을 실시함에 있어 따르는 어려움을 해결하기 위해 유관기관과 협의회를 실시함. ▪ 하수구 쓰레기 투기 방지 캠페인을 진행할 때, 경찰서 도로정비과와 협의회를 진행하여 법적 범위 내에서 실시할 수 있는 범위를 의논함.

사진 출처 : 세종중학교/밀양종합사회복지관

장애인 복지관 업무협약식	업무협약 양해각서

3) 3단계: 교육과정과 지역 자원 연결
 - 지역사회 연계 교육활동 주제 및 자원과 교과 성취기준 연결
  · 수업 내에서 지역사회의 연계 교육활동을 수행하기 위해서는 지역사회 연계 교육활동 주제 및 자원에 맞게 교과의 성취기

준을 재구조화할 필요가 있음.

<지역사회 연계 교육활동 수행을 위한 교과 성취기준 재구조화 유형>

재조정	성취기준의 내용을 확장하거나 압축하되, 지역사회로 초점화하여 지역사회 연계 교육활동에 적합한 방향으로 재조정하는 경우
통합	2개 이상의 성취기준을 통합하여 학습량을 적정화하고 다양한 지역사회 연계 교육활동 주제 및 자원과 연계할 수 있도록 하는 경우
유지	학습 결손 방지 등을 위해 현행 성취기준을 그대로 유지하는 경우

· 지역사회 연계 교육활동은 학교 차원에서 지역사회 연계 교육활동을 위한 특별한 교육과정을 수립해야만 할 수 있는 것이 아님. 성취기준에 의거해 학습 목표를 달성하기에 가장 효과적인 방법이 지역사회와 연계하는 것이라면 학교에 별도의 문서를 상신하거나 다른 교사와 협의하는 과정 없이도 수업 시간 중에 지역사회 연계 교육활동을 실시할 수 있음.

· 이때는 성취기준을 지역사회 연계 교육활동에 맞게 재조정하는 과정이 필요함.

<지역사회 연계 교육활동을 위한 성취기준 연결 및 재구조화 예시(중등)>

주제	연대
자원	지역사회 주민들의 이야기를 담은 전시회
교과	주제와 부합하는 성취기준
영어	[9영04-06] 간단한 초대, 감사, 축하, 위로, 일기, 편지 등의 글을 쓸 수 있다.

유형	성취기준 재구조화 결과
재조정	[09영04-06] 지역사회 주민들의 이야기를 담은 전시회를 소재로 일상에 대해 소통하는 글을 쓸 수 있다.

· 각 교사가 개별적으로 지역사회 연계 교육활동을 수행하더라도 학교별 교육과정 등을 통해 교육활동의 주제나 지역 자원을 하나로 통일할 수 있음. 이를 통해 학생들은 다양한 수업 시간에 다양한 주제나 지역 자원을 바탕으로 민주시민의식을

함양할 수 있음. 나아가 학교별 자율 교육과정을 구성해 학교 안에서 지역사회 연계 교육활동의 외연을 자연스럽게 확장할 수 있음.

<지역사회 연계 교육활동을 위한 성취기준 연결 및 재구조화 예시(초등)>

주제	연대	주제	안전
자원	지역사회 관광지 및 로컬푸드		
교과	주제와 부합하는 성취기준	교과	주제와 부합하는 성취기준
도덕	[6실02-04] 다양한 식재료의 맛을 비교·분석하여 올바른 식습관 형성에 적용한다.	안전	`[2안01-07] 현장체험학습이나 캠핑 등 야외 활동에서의 위험요인을 알고 사고를 예방한다.

▼

유형	성취기준 재구조화 결과	유형	성취기준 재구조화 결과
재조정	[6실02-04] 지역사회에서 생산하고 유통된 식재료의 맛을 비교·분석하여 올바른 식습관 형성에 적용한다.	재조정	[2안01-07] 지역사회 현장체험학습에서 예상되는 위험요인을 알고 사고를 예방한다.

· 실제 지역사회 연계 교육활동의 주제와 지역 자원은 여러 교과와 연계될 수 있으므로 2개 이상의 교과가 융합해 지역사회 연계 교육활동을 수행한다면 학생들이 수업 중에 함양한 민주시민의식을 실제 삶의 맥락으로 전이하는 데 도움을 줄 수 있음.

· 이를 위해 융합이 가능한 교과에서 공통된 키워드를 도출한 후 그에 맞는 각 교과의 성취기준을 통합 및 재조정하는 과정이 필요함. 이 과정에서 지역사회 연계 교육활동의 주제나 지역 자원을 조정할 수 있음.

· 교육 공동체의 교과 융합 수업에 대한 경험이 누적된다면 하나의 지역사회 연계 교육활동 주제에 다양한 지역 자원과 교과를 융합시킬 수 있음. 더불어 지역사회 연계 교육활동

주제 선정의 근거인 학교 시민상도 점차 발전시켜 나갈 필요가 있음.

[이럴 땐 어떻게?]
지역사회 연계 교육활동의 주제를 교과 성취기준과 연결시키기가 어려워요.

- 어디까지나 교사는 학습 목표를 가르치는 것이지 지역사회 자체를 가르치는 것은 아니므로 학습 목표와 연계할 수 있는 지역사회의 특징이 무엇인지 파악하는 것에 중점을 두면 됩니다. 인터넷 검색을 통해 지역사회에서 어떠한 일이 일어나고 있는지 어렵지 않게 파악할 수 있습니다.
- 또한 지역사회 연계 교육활동은 각 교과 성취기준을 넘어 민주시민성 함양 등 학교급별 교육목표와 밀접하게 연결됨을 고려해 지역사회 연계 교육활동을 통해 학생에게 함양하고자 하는 역량을 중심으로 지역사회 연계 교육활동을 설계할 수 있습니다.

– 성취기준 재구조화 결과를 학습 목표로 기술

- 성취기준 재구조화 결과를 분석해 학습 목표로 기술하는 과정에서 수업의 흐름이 유기적으로 이어질 수 있도록 정의, 인지, 행동 영역의 학습 목표를 설정할 수 있음.
- 수업에 적극적으로 참여하기 어려워 소외될 수 있는 학생을 배려 및 지원하기 위해 학습목표를 기반으로 한 최소 학업 성취수준을 설정할 필요가 있음.

<성취기준 재구조화 결과의 학습 목표 및 최소 학업 성취수준 기술 예시>

민주시민 교육 주제	지역사회 사회적 약자		
성취기준 재구조화 결과	[9국02-07/9국03-04] 매체 속 지역사회 문제에 대한 글의 다양한 표현 방법과 의도를 평가하고 이를 바탕으로 주장과 타당한 근거를 담은 건의문을 쓰고 공유한다.		

▼

학습목표	정의	- 매체 속 지역사회 문제에 대해 공감할 수 있다.
	인지	- 매체 속 지역사회 문제에 대한 글의 다양한 표현 방법과 의도를 평가할 수 있다.
	행동	- 평가 결과에 대해 주장과 타당한 근거를 담은 건의문을 쓰고 공유할 수 있다.

▼

최소 학업 성취수준	정의	- 매체 속 지역사회 문제에 대해 부분적으로 이해한다.
	인지	- 교사의 도움이나 동료와의 대화를 통해 매체 속 지역사회 문제에 대한 글을 평가할 수 있다.
	행동	- 평가 결과에 대한 건의문을 쓰고 공유하는 태도를 보인다.

- 차시별 수업 계획 수립
  · 지역사회 연계 교육활동은 상급 학년에 진학할수록 지역사회를 체험하는 것을 넘어 민주시민의 관점에서 지역사회에 대한 학습자 본인의 생각을 바탕으로 지역사회에 참여하는 것으로 나아갈 필요가 있음. 예를 들어 환경 문제에 관한 의제를 세우고 동의함으로써 정서와 인식을 심화하는 수준의 캠페인 경험을 바탕으로 실제 환경 문제를 해결하기 위해 지방자치단체, 공공기관에 공공정책을 제안하는 활동 등으로 나아갈 수 있음.
  · 학교에서 사회 참여를 통한 자치를 경험하지 못하거나 학교 안으로 제한된 자치만 경험할 경우 졸업 후 사회 참여에 소극적으로 임하거나 사회 참여의 범위를 한정할 수 있음. 학생들이 한 명의 시민으로서 지역사회에 참여하는 과정에서 자신의 목소리를 내는 경험은 성인이 된 후 민주시민 역량을 발휘할 수 있는 발판이 되어줄 것임.
  · 초등의 경우 차시별 계획 수립 시 지역사회에 관심을 갖고 지역사회를 통해 배움을 얻을 수 있는 기반을 설정하는 데 중점을 둘 수 있음.
  · 중등~고등의 경우 지역사회의 문제를 해결하는 과정을 담을 수 있는 사회 쟁점 기반의 실천 중심의 다양한 교수학습 방법을 적용할 필요가 있음.

<환경 보호 프로젝트(중등) 차시별 수업 내용 예시>

교과	차시/단원	학습 내용
국어	1~8차시 [1-(1)단원]	• 환경을 소재로 한 글을 읽고 사회문화적 배경 탐구하기 • 환경을 소재로 한 글의 형식이 다른 두 작품을 비교하여 읽고 그 효과를 찾고, 다른 형식으로 재구성하기
	9~18차시 [4-(1)단원]	• 시집에서 환경을 소재로 한 상호텍스트 두 편을 골라 읽고, 자신의 관점에서 타당한 근거를 들어 해석하기
	19~27차시 [1-(2)단원]	• 우리 지역사회의 환경문제를 바탕으로, 주장하는 글쓰기 • 주장하는 글을 창의적으로 재구성하여 표현하기
	28~30차시 [4-(2)단원]	• 출판기념회 상호평가

<로컬푸드 프로젝트(중등) 차시별 수업 내용 예시>

교과	차시	학습 내용
사회	1차시	• 지역사회 농업을 위협하는 요소로 기후변화, 공장식 축산 산업의 영향 확인
	2차시	• 지역사회 농업을 보호하기 위한 로컬푸드의 의의를 이해하고 실제 매장 및 로컬푸드를 활용한 6차 산업의 현황 확인
국어	3차시	• 로컬푸드를 홍보하기 위한 지역사회의 노력 확인 • 로컬푸드를 홍보하기 위한 문구 및 사진 촬영
	4차시	• 포스터 제작 후 지역사회 공공기관 sns와 공유
기술 가정	5차시	• 지역사회 전문가를 초빙해 지역사회 특산품을 활용해 요리(빵류)를 만들기
	6차시	• 요리(빵류)를 지역 주민과 나누고 로컬푸드 및 6차 산업 홍보하기

[이럴 땐 어떻게?]
중학교나 고등학교의 경우 교육과정 재구성을 통해 수업하면 교과별로 수업 진도에 차이가 생기지 않나요? 수업 시간이 부족하면 어떻게 하나요?

교육과정 재구성을 통해 세부 내용을 차시별로 구성하되, 별도의 '주간'을 선정하는 것도 도움이 됩니다. 월중행사계획 또는 학급달력에 '지역사회 이해 주간', '지역사회 탐색 주간' 등으로 표시하여, 교과에서 융통성 있게 진행할 수 있도록 하는 것도 좋습니다. 수업 시간이 부족할 경우 활동의 연속성이 보장되지 않을 수 있습니다. 이때는 자율동아리 등의 형태로 점심시간이나 방과후시간을 활용할 수 있습니다. 처음엔 따로 시간을 빼서 활동하는 것에 학생들이 어려움을 표할 수 있지만 점차 활동의 성과를 통해 성취감을 얻는다면 자발적으로 일과 외 시간에 능동적으로 참여하는 모습을 이끌어낼 수 있습니다.

- 고등학교 3학년이나 만 18세 이상은 정당 가입뿐만 아니라 선거권, 피선거권(공무담임권)을 갖고 있으므로 중학교, 고등학교 1, 2학년 시기에 참정권을 행사할 수 있는 역량을 기르는 교육과정이 필요함. 이때 지역사회 연계 교육활동의 유의미한 역할을 할 수 있음.

- 예를 들어 교사 개인의 정치적 견해를 드러내거나 실제 선거에 영향을 미치지 않는 선에서 학생들에게 과거 지역사회 지방자치단체 출마자의 공약 등을 비교 분석하게 한 후 이를 바탕으로 토론이나 모의 투표 등을 진행할 수 있음, 실제 학생들이 가상의 출마자가 되어 지역사회의 공약을 만들어 보는 활동도 가능함.

- 세부 운영 방법 수립

- 지역사회 자원을 고려해 지역사회 연계 교육활동을 학년별로 할 것인지, 시간표 변경 등을 통해 학생에게 선택하게 할 것인지, 운영 시수, 방법, 평가, 예산 편성 등 세부 사항에 대한 교육 공동체 간 협의를 진행함.

- 교과 협의회를 통해 공동수업 시간을 별도 마련하여 진행하면

선생님 간, 교과 간의 운영 내용을 공유하며 진행이 가능함.

<지역사회 연계 교육활동을 위한 공동수업 일정 수립 예시>

	주제	월	화	수	목	금
10월	주제 관련 공동수업 (역사, 국어)	19	20	21	22	23
					동아리활동1	
	생각열기/주제잡기 (국어과 글짓기대회)	26	27	28	29	30
		1차 생각열기 공동수업 (5,6교시)			2차 주제 선정 공동수업 (6,7교시)	
11월	자료탐색 실천계획서 작성 실천하기	11/2	3	4	5	6
			3차 자료탐색/실천계획 공동수업(6,7교시)		동아리활동2	2학년 어울림한마당
	실천하기 자료탐색 발표자료준비	9	10	11	12	13
						4차 발표자료 준비 공동수업 6,7교시
	발표자료 시나리오 작성	16	17	18	19	20
				5차 공유의날 준비 (5,6교시)	공유의 날 (5,6,7교시)	

- 평가 계획 수립

· 평가 계획을 수립함에 있어 지역사회 연계 교육활동의 목표 달성 여부를 파악하는 것에만 초점을 맞추는 것보다 평가 방법이나 도구에 학생이나 지역사회의 의견을 반영하도록 함으로써 민주주의의 가치를 실현할 수 있음.

· 평가 계획 수립은 다음과 같은 과정을 통해 진행할 수 있음.

· 수업과정 중의 평가 계획 → 평가를 위한 시수 확보 → 학습 내용 선정 및 감축(통합 및 감축 단원) → 핵심역량을 고려한 채점기준 마련 → 피드백 계획 수립

<지역사회 연계 교육활동의 과정중심평가 계획 예시>

수행 과제	지역사회 환경 문제를 찾아 탐구하고 해결방안을 찾아 실천한다.					
평가 기준	영역: 문학/읽기/ 쓰기	관련단 원	1.삶을 배우는 독서 / 4. 세상을 향한 목소리		평가 시기	9 - 11월
	평가 영역		평가 내용		평가 방법	배점
	사회문화 적 맥락		▪ 작품이 창작된 당시의 사회·문화적 배경을 잘 파악하였는가?		모둠 포트 폴리 오	5
	비교하며 읽기		▪ 글의 형식이 글쓴이의 관점을 드러내는 데 주는 효과를 파악하여 썼는가?			5
	시 해석		▪ 문학 해석 방법 중 하나를 선택하여 타당한 근거를 들어 해석하였는가?			10
	주장하는 글쓰기 / 해결방안 실천하기		▪ [이해] 주장하는 글 쓰기의 방법을 잘 이해하여 글을 썼는가?			10
			▪ [내용] 주장이 분명하게 드러나는가?			15
			▪ [내용] 주장을 뒷받침하는 근거들이 타당한가?			15
			▪ [내용] 주장하는 글의 짜임에 맞게 논리적으로 썼는가?			10
			▪ [표현] 문장, 문단 연결이 자연스럽고 참신하게 표현하였는가?			10
			▪ [활동] 모둠원 각자 맡은 역할을 충실히 하였는가?			10
	상호평가		▪ 모둠간 학생 상호평가 결과의 평균점을 반영(갤러리워킹)			10

· 핵심 성취기준을 반영한 워크북 활동지를 제작하여 지역사회 연계 주제 중심의 프로젝트를 지속성 있게 구현함.

4) 4단계: 지역사회 연계 교육활동 실행

– 활동 단계에 따른 진행

① 지역사회 연계 교육활동 소개 및 안내

· 처음부터 진도와 평가에 대한 안내부터 제시하는 것은 부담이 될 수 밖에 없기 때문에 교육활동 전 과정이 학생들에게 유의미하게 다가갈 수 있도록 하기 위한 동기 유발 전략이 필요함.

<지역사회 연계 교육활동 동기 유발 전략>

흥미 및 호기심 신장 전략	영화 및 사진 자료 활용 : 지역사회 연계 교육활동의 주제와 유사한 주제를 갖는 영화를 소개하거나, 국내외의 흥미로운 지역사회 연계 교육활동 관련 사진을 소개하고 소감을 짧게 표현하는 활동을 진행할 수 있음.
자신감 및 유능감 신장 전략	청소년 사회참여 활동의 정책 반영 사례 소개를 통해 청소년이 정책 수립 과정에 참여할 역량과 자격이 있음을 주지시킴.
주제 소개 전략	다양한 매체 및 게임 형식 활용 : 게이미피케이션과 메타버스를 결합하는 방법을 사용 가능 (핵심어에 빈칸을 뚫어놓고, 게더타운에서 힌트 자료를 찾아 방탈출 게임 형식으로 주제 문장을 파악하게 하는 활동 진행) 다양한 매체를 활용하여 소개할 경우 주제에 대한 이해와 주제 관련 현존감이 신장됨. 예 로드뷰, 마인크래프트, AR/VR 등 활용 가능

② 지역사회 연계 교육활동에 대한 교육과정 및 평가 방법 안내

· 수행평가와 유기적으로 연계되도록 인지시킬 수 있는 전반적 학습 내용, 참여 교과, 평가 방법에 대한 안내 필요함.

· 프로젝트 전 과정에 학습자가 집중하도록 하는 효과를 얻을 수 있음.

※※※※※※※※※※※※※※※※※※※※※※※※※

<지역사회 연계 교육활동 안내 사항 예시>

	주	내용	교과
연계 교과와 개략적인 진도표 안내	1	지역사회 일제의 잔재가 남아있는 문화재 찾기	역사, 국어
	2	무관심 속에 방치되고 있는 문화재 문제점 찾기	국어
	3	지역사회의 항일정신을 상기시키는 여행상품 기획하기	국어
	4	다크투어리즘 책자 개발하기	미술, 국어
과목별 평가 시기 및 방법 안내	교과별로 프로젝트에 참여하는 양상이 달라질 수 있으므로, 시나리오에 대한 전반적인 흐름 소개와 더불어 교과에서 프로젝트 과정 중 어느 과정을 수행하는지, 또 그 수행 결과에는 무엇이 포함되는지 설명할 필요가 있음.		

③ 지역사회 연계 교육활동 팀 구성

· 활동의 자발성 증진을 위해 학생들 스스로 팀을 구성하도록 장려하는 것이 효과적이지만 팀 구성이 비합리적일 경우, 교사의 개입이 필요할 수 있음.

· 팀 구성 후 운영되는 과정에서 소외되거나 주변화되는 학생이 없도록 모든 학생이 참여하고 협력하는 문화를 조성해야 함.

<지역사회 연계 교육활동 팀 구성 방법>

다양한 팀 구성 방법	▶ 주제 범주 카드 뽑기 - 사회, 문화, 노인, 환경, 청소년 등 주제 범주를 제시하고 선호하는 주제 카드를 뽑은 친구들끼리 팀을 구성하는 방법 ▶ 팀장 선발대회 오디션→팀원 스카우트 - 팀장 지원서를 제출받아 오디션을 진행하고, 팀장이 자신의 팀 비전에 맞는 역할을 수행할 수 있는 팀원을 스카우트하는 방식

팀 구성	▶ 인원 : 4~5명
	▶ 역할 : 지역사회 관련 자료조사, 발표, 홍보, 실천 등
	- 팀장, 정책기획자, 홍보담당자, 예산조정자 등 자유롭게 직책 설정
다양한 팀 구성 방법	▶ MBTI 등 성격 유형을 고려한 팀 구성
	- 사회참여 MBTI 문항을 제작하여 테스트 한 결과를 바탕으로 상호 간 소통이 잘 맞는 성향을 가진 친구들끼리 팀을 구성하는 방법

	<div align="right">출처 : DODA APP/세종중학교</div>
	※ 사회참여 MBTI 문항이란?
	- MBTI(성격유형검사)를 벤치마킹해 각자의 사회참 여유형을 판별해주는 검사
	(밀양 세종중학교 사회참여동아리 제작)

④ 지역사회 연계 교육활동 교수·학습

· 학생이 주체가 되는 프로젝트를 통해 민주시민으로서 필요한 역량을 강화할 수 있도록 학생 주도 협동학습, 프로젝트 수업, 토론 수업, 게이미피케이션, 거꾸로 수업, 비주얼싱킹 등 다양한 교수학습방법을 구안해야 함.

· 교사는 학생이 민주적 소통 과정을 통해 주도성을 발휘할 수 있도록 모범적인 모델이자 퍼실리테이터로서의 역할을 하는 것이 중요함.

· 특히 학생의 삶에 기반해 지역사회의 **현안**에 대해 논쟁하는 경험을 바탕으로 지역사회에 기여할 수 있는 문제해결학습의 기회를 제공하면 지역사회를 바탕으로 학생이 성장하는 데 도움이 될 수 있음.

[이럴 땐 어떻게?]
지역사회 연계 교육활동에서 우리 마을의 쟁점을 다뤄도 될까요? 자칫하면 쟁점이 대해 편향된 수업을 한다며 수업에 대해 좋지 않은 인식을 가질 수 있지는 않을까요?

기본적으로 수업 중 쟁점을 다룰 때에는 민주시민교육 활동의 원칙을 지키고자 노력해야 합니다.
- 강제성 금지 원칙: 지역사회에 대해 특정한 견해를 강요해 학생이 주체적으로 판단하는 것을 방해하지 않기
- 논쟁성 원칙: 지역사회에서 발생하는 갈등에 대해 균형적 관점에서 논쟁하도록 하기
- 실제성 원칙: 지역사회의 상황에 따른 자신의 이해관계를 생각할 수 있도록 하기

이 과정에서 교사는 쟁점을 다룰 때는 한쪽의 의견만 다루지 않도록 주의해야 합니다. 자칫하면 지역사회 연계 교육활동이 한 쟁점에 대한 의견을 전달하기 위한 교육과정이 될 수 있기 때문입니다. 따라서 한 쟁점에 대해 찬성과 반대 의견이 모두 있고 각 입장의 근거를 학생들이 이해할 수 있는 수준으로 제시해서 학생들이 지역의 쟁점에 대해 균형 있는 시각을 가질 수 있도록 하는 것이 필요합니다. 이를 기반으로 교사는 쟁점의 결론에 대해 유도하지 않고 최대한 다양한 학생들이 참여해 쟁점에 대해 다양한 의견을 개진할 수 있도록 해야 합니다.
한 쟁점은 학생들이 지역을 소재로 토론할 수 있는 좋은 주제가 될 수 있습니다. 이때 토론이 마을에 대한 담론으로만 한정되지 않고 마을을 넘어서는 공동체에 대한 담론으로 확장될 수 있도록 도움 자료를 준비하면 학생들의 민주시민성 역량 함양에도 도움이 될 것입니다.

[이럴 땐 어떻게?]
학생들이 지역사회의 문제를 해결할 수 있을까요? 이를 수업과 어떻게 연계할 수 있을
지 궁금해요.

지역사회를 위한 교육활동은 아래와 같이 진행할 수 있습니다.

ⓐ 문제 정의 : 지역사회 문제 알리기
- 지역사회에 나타난 문제의 중요성, 심각성을 입증하기 위한 단계
- 자료 수집 및 분석을 통해 지역사회 문제와 관련된 이해관계 분석하여 지역사회에 알림.

구분	내용	
지역민 설문조사	• 활동 목적에 맞는 설문지 제작 • 이해 관계에 있는 다양한 지역민을 만나 설 　문조사 실시	
UCC제작	• 문제점을 알리는 UCC 제작 • SNS 또는 지역 맘카페 등을 통해 문제점을 　알리는 활동 진행	

ⓑ 정보 수집 및 대안정책 조사하기
- 지역사회의 문제를 해결하기 위해 기존에 실시되고 있는 정책을 조사
- 다른 지역이나 해외의 사례를 찾는 활동 진행
- 지역사회 이해관계자와의 설문조사 및 인터뷰 진행을 통해 기존의 정책에 대한 문제점의
  의견수렴을 통해 좀 더 풍성한 정보 수집 활동 진행

구분	내용	
지역 주민과 인터뷰	• 이해 관계에 있는 지역주민과 추가적인 면담 　과정을 진행하여 문제상황을 명료화	
직접 관찰 / 탐사	• 직접 지역사회를 돌며 문제 상황을 관찰하고 　지도에 표시하는 정보 수집 활동 전개	

ⓒ 해결방안 도출 / 공공정책 실행
- 브레인스토밍을 통해 다양한 의견이 도출되도록 분위기 조성
- 정책 및 아이디어를 모으는 과정 시의성, 해결가능성, 공익성 등의 기준에 따라 합리적인
  해결방안을 도출한 후, 직접 실천 또는 유관 기관과의 연계 실천 등 구체적 실천

구분	내용	
공공정책 직접 실 천	• 집중호우시 하수구 범람의 문제 원인인 빗물 　받이(하수구) 오물 투척 문제를 해결하기 위 　한 하수구 디자인 활동 직접 실천	
캠페인 부스 운영	• 지역사회의 초고령화 문제점과 홀몸 노인의 　주거환경 문제점을 알리는 캠페인 부스 운영 • 기부팔찌 판매 활동 수익금을 노인 복지 관련 　기관에 기부	

⑤ 지역사회 연계 교육활동 평가

· 지역사회 연계 교육활동 전체를 하나의 프로젝트로 운영하되, 프로젝트 참여 전후 학생의 변화를 논술, 구술, 동료평가 등으로 확인할 수 있음. 이를 통해 학생이 주도해 사회에 참여하고 실천한 과정을 학교생활기록부에 구체적으로 기재함으로써 민주시민교육의 맥락에서 교육과정-수업-평가-기록의 일체화를 실현할 수 있음.

[이럴 땐 어떻게?]
교과서로 진행하지 않는 프로젝트 수업이 입시에 도움이 되지 않는다는 학부모의 평가 관련 민원이 예상될 때 어떻게 해결하면 좋나요?

무엇보다 지역사회 연계 교육활동이 학습 목표를 학생의 삶과 밀접한 지역사회라는 맥락을 통해 학생들에게 내면화하고자 실시하는 것임을 학부모와 함께 공유하는 것이 필요합니다. 학교 자율과정, 학년말 전환기, 계기교육 기간 등 특정기간 집중 운영하는 것도 한가지 방안이 될 수 있습니다. 특히, 학년말·학기말에 지필평가 실시 이후 프로젝트를 운영하면, 평가 문제 등에서 애로점이 줄어들 수 있고, 학습 공백을 최소화하여 학기말·학년말 교육 과정을 내실화하여 운영할 수 있습니다.

---

⑥ 지역사회 연계 교육활동 결과 공유

· 지역사회 연계 교육활동 결과 공유는 학생의 민주시민성 성장을 위한 의미 있는 피드백의 장일 뿐 아니라 교육 공동체 전체가 지역사회 연계 교육활동의 가치를 인식할 수 있는 교육의 장이 된다는 점에서 중요함.

· 공유 과정이 지역사회와 최대한 밀접하게 연계되어 진행될 수 있도록 공유 행사 장소 및 시간을 조율하면 행사의 효과를 높일 수 있음. 예를 들어 캠페인 물품을 배부하더라도 교내에서만 하는 것보다는 마을의 버스 정류장 등 지역사회 주민들이 많이 모일 수 있는 곳에서 한다면 학생들의 성장에도 많은 도움이 될 것임.

<지역사회 연계 교육활동 공유 활동 예시>

활동 형태	내용	사진
지식 시장	▶ 지속가능한 우리 동네 만들기 아이디어 지식 시장 - 교과 수업에서 지속가능한 우리 동네 만들기 프로젝트 결과로 도출된 여러 가지 주제의 팀들의 활동 성과 및 결과를 서로 소통하기 위해 체육관에 지식시장 개최	 스페이셜, 게더타운 활용
박람회 /출판 기념회	▶ 우리 동네 문학기행 책자 출판기념회 - 책을 읽지 않는 지역 공동체의 문제점을 개선하기 위한 문학기행 책자 발간 및 박람회 개최	 퀜비AI, 감마AI 활용
성과 발표회	▶ 노인친화도시 만들기 활동 성과 발표회 - 홀몸노인 돕기 기부팔찌 제작, 노약자를 위한 키오스크 인식 개선 캠페인 활동 등 소개	
체험마 당	▶ 다크투어리즘 사진 촬영 및 체험마당 - 다크투어리즘과 지역사회 일제 잔재를 알리기 위해 일제의 아픈 역사가 담긴 포토존과 의상 착용 체험마당 개최	

5) 5단계: 지역사회 연계 교육활동 평가

- 운영 결과 협의

· 지역사회 연계 교육활동에 대한 평가는 교육공동체 전체를 대상으로 실시하는 평가와 연계해 진행하면 업무의 부담을 덜 수 있음. 예를 들어 시도교육청에서 제공하는 학교 평가 지표를 토대로 지역사회 연계 교육활동에 대한 자체 평가 기준을 만들어 교육공동체의 설문을 받은 후 이 결과를 학기 말 대토론회에서 공유하며 보완할 점을 도출할 수 있음. 이를 다음 해 신학기 교육과정 워크숍 시간에 구체적으로 논의해 최종적으로 학교교육계획 중 지역사회 연계 교육활동 관련

내용에 반영하는 것이 필요함.

<지역사회 연계 교육활동 학교 평가 예시>

평가지표	마을 연계 교육 활성화
평가요소	1. 지역사회 연계 교육활동을 통해 지역사회로 학습 공간이 확대되어 있는가? 2. 지역사회 연계 교육활동을 통해 삶과 밀접한 배움을 얻고 있는가? 3. 지역사회 연계 교육활동의 철학이 공유되고 있는가? 4. 지역사회 연계 교육활동 운영의 지속성이 확보되고 있는가?

· 지역사회 자원 탐색으로 인한 부담이 크므로 해마다 이루어진 지역사회 연계 교육활동 중 효과가 컸던 지역사회 자원에 대한 정보를 공유하는 작업이 필요함.

· 또한 지역사회 자원과 연계한 수업 진행 방법을 협의하고 실천 하는 것에 따른 부담 역시 큰 편이므로 지역사회 연계 교육활동을 위한 TF나 전문적 학습 공동체 등이 활성화될 수 있는 분위기를 조성해야 함. 나아가 학교-지역 협의체를 구성하여 정기적으로 지역사회 연계 교육활동 방안 등을 논의할 필요가 있음. 이 역시 별도의 기구를 설립하는 것보다 학생회, 학부모회, 교직원회 등과 연계해 운영하는 것이 적절함.

로컬 파이오니어
워크북

교과서 그리고 학교 밖, 변혁의 중심에 서다

"만나고 나누고나니 이루어지더라!!"

① 문제점 찾기
/ 대안정책조사

② 해결방안 모색
/ 사업계획서 작성

③ 활동 평가
/ 시민기자 활동

이 워크북은 민주화운동기념사업회, <프로젝트 시티즌>,2009 교재를
학교 교육과정 및 지역사회 실정에 맞게 재구성하여 제작하였음을 알려드립니다.

로컬 파이오니어 임명장

이름 :		연락처 :				
학년 :	반 :	장래희망 :				

질문		전혀 그렇지 않다	그렇지 않다	보통 이다	그렇다	매우 그렇다
1	나는 주어진 역할을 충실히 수행한다.					
2	나는 과제를 위한 모임에 적극적으로 참여하는 편이다.					
3	나는 다른 사람을 잘 배려해준다.					
4	나는 내 의견을 적극적으로 표현한다.					
5	나는 소집단의 분위기를 즐겁게 할 수 있다.					
6	나는 소집단 활동 시, 회의를 잘 진행할 수 있다.					

자기소개	이 동아리를 통해 기대하는 점

위 사람을 (   )학년도 "로컬 파이오니어 사회참여동아리"
구성원으로 임명합니다.

○ ○ 학 교

로컬 파이오니어란 무엇인가요?

< 사회참여란? >

자신이 속한 사회에 관심을 가지고 구체적인 영향력을 발휘하여 공동체 발전을 추구하는 사회적인 행위

< 공공정책이란? >

국민 개개인의 존엄과 가치를 보호하고 행복을 추구할 수 있도록 보편적 복지를 증진시켜야 할 책임이 있는 정부, 지방자치단체, 공공기관이 이런 책임을 완수하기 위해 펼치는 각종 공인된 행위

로컬 파이오니어 4단계 활동

문제점 찾기

우선 여러분이 중요하다고 생각하는 학교 또는 지역사회의 문제점을 찾아봅시다.

문제점의 원인을 포함하여 다양한 정보를 찾아봅시다.

이 문제를 해결할 책임과 능력은 누구에게 있나요?

대안정책 조사

문제와 관련된 현행 공공정책을 조사해봅시다.

그 빡에 관련 시민단체 등에도 제안되고 있는 정책들을 조사해봅시다.

위 공공정책이나 제안 정책들 각각의 장단점을 찾아봅시다.

공공정책 만들기

문제를 해결하기 위해 정부가 채택해주길 바라는 공공정책을 만들어봅시다.

여러분이 만든 공공정책에도 어떠한 장단점이 있는지 찾아봅시다.

실행계획 만들기

여러분이 제안할 공공정책을 많은 사람들이 동의할 수 있도록 구체적인 실행계획을 만들어봅시다.

실천하기

다양한 실천방법을 통해 여러분이 만든 정책이 실현될 수 있도록 노력해봅시다.

로컬 파이오니어의 한 해 살이

	학습 활동 내용	교사 활동과 유의점
(1) **문제인식** **및** **선택**	▶ 가정, 학교, 통학로, 지역사회에서 불편하고, 불쾌하고, 이해할 수 없는 것, 고쳐야 할 것이라 생각하는 것 찾아보기 ▶ 다 같이 공감하는 문제 찾아보기 ▶ 학생들이 꼭 해결하고 싶은 문제, 학생의 힘으로 해결할 수 있는 문제, 여럿이서 함께 해결할 수 있는 문제 고르기 ▶ 나는 무엇을 하고 싶은가 ▶ 다른 사람들에게 어떤 이익이 있는가 ▶ 나는 무엇을 제공할 수 있는가	▶ 교사의 적절한 질문과 과제는 학습의 질을 높일 수 있다. ▶ 꼭 해결하고 싶은 문제를 선택하도록 조언한다. ▶ 문제 인식이나 중요한 문제 선택에는 개인의 차이가 있음을 강조한다. ▶ 문제 해결의 가능성을 미리 알아보도록 한다. ▶ 저학년은 환경·교통 등 실생활에서 겪는 구체적인 문제를 제시해 줄 필요가 있다.
(2) **문제분석**	▶ 나의 경험, 이웃의 경험, 대중매체 보도, 기타 자료를 통해 문제의 심각성을 인식하고 그 상황이 어느 정도인지 확인하기. ▶ 지금까지 이 문제가 해결되지 못한 이유가 무엇인지 알아보기 ▶ 문제가 지속되면 가장 손해를 보는 사람과 가장 이득을 보는 사람 생각해 보기 ▶ 국가, 지역, 학교, 반, 개인의 차원에서의 원인 찾아보기 ▶ 제도, 관행, 의식 차원에서 원인 찾기 ▶ 문제를 해결하는 데 직접 관련이 있는 기관과 사람 알아보기 ▶ 관련 법안이나 제도 찾아보기	▶ 학생들이 선택한 문제가 우리 지역에만있는 문제인가, 일상적인 문제인가, 언제부터 생긴 문제인가, 이 문제를 통해누가 이익을 얻고 누가 손해를 보는가 등의 질문을 통해 학생들의 문제 의식을 확장시킨다. ▶ 문제의식과 이해관계의 차이, 문제의 상호 관련성을 파악할 수 있도록 안내한다. ▶ 중요 문제와 주변적 문제를 분석 하고우선 순위를 정할 수 있도록 안내한다. ▶ 설문 조사나 이해 당사자의 인터뷰 등 적절한 활동을 제안한다. 인터뷰 기법이나 유의점 등을 사전에 알려준다. ▶ 상황에 따라 해결하고자 하는 문제를 바꿀 수도 있고, 사정에 따라 일부분만 해결하고자 할 수도 있음
(3) **대책탐색**	▶ 무엇을 얼마만큼 해결할 것인지 정하기 (목표 설정) ▶ 우리를 도와 줄 사람 알아보기 ▶ 우리의 해결책에 대해 반대하는 사람 알아내기 ▶ 개인 또는 공동으로 할 일 정하기, ▶ 추진 일정 정하기 ▶ 각자 할 일 분담하기 ▶ 후원자 구하기	▶ 학생들이 추진하는 문제 해결이 발생시킬 부작용이나 또 다른 문제를 발생시킬 가능성을 검토하도록 조언한다. ▶ 학생들의 문제 해결에 반대하는 사람들을 알아내어 학생들의 생각을 전달하고 설득하도록 조언한다. ▶ 비슷한 문제의 해결 사례를 조사하여 성공이나 실패 요인을 분석해 보도록 조언한다. ▶ 관련기관 명단작성 ▶ 면담자 명단 작성 ▶ 대책 및추진 일정 교사와 함께검토하기

(4) 실천	▶ 학교장, 지도교사에게 허가 얻기 ▶ 문서 만들기, 할 말 써 보기와 연습. ▶ 예기치 않은 상황에 대한 대처 방안세우기, 　도와줄 사람 찾아보기, 후원금 모금하기 ▶ 보도자료 만들기, 홍보하기 ▶ 실행하기(발표, 면담, 대화, 언론 기고, 　캠페인, 토론, 건의서 전달, 유인물 배포, 　고발, 입법 청원 등) ▶ 실천내용 남기기(사진 찍기, 녹음하기, 　기록하기)	▶ 관련 기관에 학생들의 사회참여에 대해 　사전에 협조를 요청할 수 있다. ▶ 실천 과정에서 일어날 수 있는 상황에대해 　설명하고 잘극복 할 수 있도록 용기 북돋아 　준다. ▶ 교사가 현장에 함께 참여하되 모든 것을 　학생 스스로 할 수 있게 지도한다. ▶ 학생들이 제출한 사회참여계획서 검토 및 　조언하기
(5) 활동 평가	▶ 개인들의 참여 태도 반성하기. ▶ 보람 있었던 점이나 어려웠던 점 생각해 　보기 ▶ 참여계획이나 준비 과정에서의 잘못 점검 　하기 ▶ 실천 하기 전과 실천 과정에서 달라진 점 　평가하기 ▶ 사회 참여 활동으로 달라진 점 확인하기 ▶ 느낀 점 글로 쓰고 발표하기 ▶ 후속 활동의 참여 여부와 주변에 권유 하기 ▶ 기록물 정리하기	▶ 참여를 통해 달성하고자 했던 목표에 근거 　하여 평가하되 문제인식정도, 참여도, 협력의 　정도 등 과정평가에 평가 초점을 두도록 한다. ▶ 개인별 모둠별로 느낌을 정리하고 토론하도록 　한다. ▶ 자료 전시회나 신문과 방송 보도등을 통해 　학생 활동의 성과를 일반화 시키도록 노력 　한다. ▶ 참여 계획과 진행과정을 포트폴리오로 만들기 ▶ 학생들의 사회참여 활동 후의 의식이나 행동 　변화를 조사하기

계획 세울 때의 유의점!

☐ 학생들의 사회참여 체험활동 계획은 구두 선에 그치는 단순한 계획이 아닌 의미 있는 실제의 경험이 되어야 한다.

☐ 사회참여 체험계획의 최우선 목표는 지역사회에 봉사하려는 것보다는 학생들이 정치적 효능감을 획득할 수 있는 경험을 제공해야 한다는 것이다.

그러나 가장 효과적인 사회참여 계획은 위의 두 목표를 모두 얻게 하는 것이다.

☐ 자선 및 기타 공공봉사 경험은 정당하고 잠재적 의의가 있는 활동이다.

그러나 그런 참여 계획도 가능한 한 정치적 효능감을 얻도록 해야 한다.

☐ 학생들이 사회참여 체험을 시작하기 전에 사회과학적 관점에서 관련 사회 문제를 연구하고 이에 관련된 가치들을 명확히 하며, 행동 결과의 가능성을 알아보고 이를 수용할 수 있도록 해야 한다.

☐ 학생들이 학교 내의 문제를 해결하고자 할 때는 학교 밖의 문제에 대한 활동보다 참여의 우선권이 주어져야 한다.

☐ 학생이 소속된 집단의 의사결정은 정당하고 바람직하지만, 학생 개인적으로 자신의 가치나 신념에 대립되는 사회참여 체험은 강요되어서는 안 된다.

☐ 사회참여체험 계획이 수립되고 실행될 때 참여 학생들의 경험 수준과 나이가 고려되어야 한다. 어린 아동들은 그들의 행동을 교실, 학교, 가정이나 다른 1차 집단에 또는 안전하고 사회참여 체험이 지지를 얻을 수 있는 2차 집단 내에 한정시켜야 한다.

☐ 사회참여 체험에 대한 계획을 할 때는 다른 교사나 학생, 학교행정가, 관련 공공기관, 해당 지역주민이 지지를 하도록 교사가 요청해야 한다.

☐ 사회참여 체험에 참가를 원하는 학생들은 자기 계획에 도움이 될 만한

일정들을 알아볼 수 있도록 해야 한다. 학교라는 개념은 확대되어야 한다. 학생활동이 반드시 교실의 네 벽 안에서 일어날 필요는 없는 것이다.

☐ 한 쟁점 때문에 지역사회가 크게 대립되고 감정들이 서로 격렬할 때면 사회참여체험 계획은 교실, 학교, 가정, 기타의 학생참여를 지지하는 또는 학생 신변이 보장되는 제도 내에 한정되어야 한다.

☐ 학생들의 사회참여 체험계획은 공동체의 계약과 법률, 조례 등을 침해해서는 안 된다.

☐ 학생들의 사회참여체험 계획은 국가의 이념(신조)이나 인간 존엄성과 일치하는 것이어야 한다.

☐ 사회참여 체험계획을 수립할 때, 교사는 학생들이 개인으로나 집단적으로나 일어날 수 있는 결과들을 모두 알아보도록 최대한 노력하여야 한다.

☐ 개인적으로 사회참여 체험에 참여하려는 학생들을 방해해서는 안 된다. 다만 개인적 사회참여보다 집단적 사회참여가 정치적으로 더 효과적임을 알려 주어 야 한다.

☐ 사회참여 체험계획을 할 때 교사는 학생들의 어떠한 물리적·감정적·심리적 상처를 최소화하는 데 모든 힘을 쏟아야 한다. 이는 학교와 지역사회에 협조를 요청함으로써 그리고 학생들이 참여행동을 계획과 다르게 하여 일어날 수 있는 결과를 꼼꼼히 검토함으로써 이루어질 수 있다.

☐ 사회참여 체험계획은 정파를 초월하여야 한다. 특정 학생집단이 특정의 후보나 공약을 선전했다 하더라도 다른 신념이나 목표를 가진 학생들이 자신의 신념과 정견을 지지할 수 있도록 서로 대립되는 사회참여 체험계획안에 대해서 선택권을 가질 수 있어야 한다.

🔍 활동 예시

순번	학교	주제
1	동대문중	학교 상·벌점제를 활용한 '좋은 친구 찾기'
2	서울여중	성차별 문제의 현황 및 개선 방안
3	당산중	위안부 인식 개선 캠페인
4	월계중	우리 지역(월계동 청백아파트 단지 인근)의 범죄예방 방안
5	덕수중	우리 학교 주변 환경정화
6	강일중	암사도서관 주변 교통 환경 개선 방안 제시
7	월촌중	사각지대에 놓인 삼각김밥(불량식품)
8	진선여중	보행 중 스마트폰 사용에 대한 문제점과 해결방안
9	남서울중	간접흡연으로부터의 자유
10	대원국제중	눈에 띄지 않는 교통약자의 이동권 보장을 위한 정책 제안
11	삼선중	청소년 문화 재생 프로젝트
12	경희여고	보행등 없는 횡단보도의 문제점과 개선방안
13	홍익대부속여고	건강하고 당당한 월경문화
14	문일고	학교 내 불량 교칙의 해결방안
15	창동고	조금 다르지만 같은 우리. (시각 장애인 편의시설에 대해)
16	성동고	우리 동네 쓰레기 무단투기 문제 해결을 위한 방안제시
17	잠실여고	버려지는 교과서 문제와 해결방안(교과서에 날개를 달아주세요!)
18	명덕외고	빗물받이 내 담배꽁초 투기문제 해결방안-BIN POLL
19	동덕여고	임산부 배려석에 대한 인식 개선 프로젝트
20	문영여고	환경미화원의 인식 및 처우개선
21	대원여고	10개월의 배려, 두 생명을 지킵니다.(지하철 내 임산부 배려석)
22	경희대	'정치'를 학교에서 배우다 : 학생정책토너먼트
23	가온고등학교	임산부의 대중교통 이용 개선 정책 제안
24	경남고등학교	이색 쓰레기통을 활용한 깨끗한 남포동 거리 만들기
25	발곡고/호원고	의정부시 경전철 사업 문제점 파악/시민을 위한 공간으로의 활성화 방안
26	시흥꿈미청소년	대중교통약자를 위한 결정적 정책 한 방! - '매치포Weak트'
27	수완초등학교	딱딱한 것 싫어! 말랑한 길말뚝이 좋아
28	개포고등학교	탈북청소년의 성공적인 정착을 위한 지원정책 제안
29	하나고등학교	지역공동체에서 방치된 땅에 대한 관리대책 제안
30	울산외고	울산의 청소년 문화 활성화를 위한 공공정책화 추진방안
31	금오여자고	담배의 유혹, 더 이상 지켜볼 수만은 없다
32	현대청운고	청소년의 사회참여 활성화를 위한 시사교육/제도적 보완방안 제안
33	안양외고	시각장애인 점자 블록의 열악한 실태
34	전남외고	유해화학물질의 쉬운 구입을 제한하자

지역사회의 공공정책 문제점을 찾아라

우선 여러분이 중요하다고 생각하는 지역사회 문제점을 한 가지 찾아봅시다. 그리고 어떤 단위의 정부(지방자치단체 담당 부서)가 이 문제점을 해결할 책임이 있는지 조사합니다.

<잡깐> 거대한 문제는 피해주세요.

■ 거대한 주제는 문제의 원인분석부터 실행을 위한 공공정책 수립까지
제대로 조사하고 실행가능한 해결책을 제시하기가 매우 어렵습니다.
(남북의 통일, 테러 분쟁, 세계 곳곳의 기아 문제, 공장식 가축 사육 문제 등등)

■ 여러분의 생활 또는 여러분이 살고 있는 지역과 밀접한 문제들을 선택
하고 실용적이고 현실적인 공공정책을 수립할 수 있는지 사전에 토론하고
결정하세요.

■ 여러분이 직접 경험한 지역사회의 문제 사례를 모아봅시다.

■ 지역신문 등 언론에 나온 기사들을 살펴보고 그 중에서 여러분이 중요하다고 생각하는 문제를 찾아봅시다.

■ 여러분이 찾은 문제점이 주변의 많은 사람들 또한 심각하게 느끼고 있는 문제점인지를 살펴봅니다.

■ 선정한 문제점과 관련하여 도서관과 인터넷을 이용한 자료 조사, 전문가 또는 행정기관 담당자, 시민단체 활동가와 인터뷰, 지역 주민 대상의 설문 조사 등의 활동을 해봅시다.

■ 문제점과 관련되어 있는 행정기관이 이 문제점을 해결해야 하는 이유를 분명하게 설명합니다

🔍 문제점 찾기 및 분석하기①

< 5 WHY기법으로 문제 해결하는 방법 – 제퍼슨 기념관 문제해결법 >
2인 1조로 나눕니다(또는 팀원 수가 홀수인 경우 3인). 파트너를 인터뷰한
다음, 서로 역할을 바꿉니다. 활동의 각 부분에 할당된 시간을 지켜야 합니
다. 파트너로부터 연속적인 답변을 듣기 위해 5번의 "왜?"라는 질문을 해
보십시오. 또한 문제점에 대한 내용을 그림이나 도표로 시각화하도록 요청
하십시오.

< 문제 상황 > :

* 왜 이러한 문제가 나타났을지 원인의 원인을 찾아 근본적인 원인을 찾아봅시다.

① 원인 : <문제상황>이 일어난 까닭은?

② 원인 : 원인 ①가 일어난 까닭은?

③ 원인 : 원인 ②가 일어난 까닭은?

④ 원인 : 원인 ③이 일어난 까닭은?

⑤ 원인 : 원인 ④가 일어난 까닭은?

🔍 문제점 찾기 및 분석하기②

모둠 구성원 이 름	
조사날짜	
확인하려는 문제점	

1	이 문제점은 지역사회에서 얼마나 심각한가요? 즉시 해결해야할 필요가 있는가?

2	왜 이 문제점은 정부가 공공정책으로 해결해야 하나요?

3	이 문제점에 관심을 갖고 있는 개인이나 단체, 조직은 누구입니까?

4	이 문제점과 그 해결 방법에 대해서 지역사회 안에서 다른 의견들이 있나요?

5	이 문제점을 처리하기 위한 법률이나 정책이 이미 있나요?

6	어떤 단위의 정부(정부기관)가 이 문제점을 해결할 책임이 있습니까? 왜 그렇죠?

◎ ☀ ⚡ ◎ ☀ ⚡ ◎ ☀ ⚡ ◎ ☀ ⚡ ◎ ☀ ⚡ ◎ ☀ ⚡

🔍 설문지 만들기

안녕하세요? 저희는 세종중학교 사회참여동아리 소속 학생들입니다. 저희는 OO시립도서관 자료실 이용 실태를 조사하여 이 내용을 바탕으로 도서관 대출실 및 자료실 개방시간에 대한 시민 여러분의 의견을 조사하여 추후 활동에 반영하고자 합니다. 이 설문 자료는 참고용으로만 사용될 예정입니다. 각 질문에 해당하는 번호 한 개에만 표시해주세요.

OOOO년 O월 세종중학교 환경 시민 사회참여동아리 대표 OOO

설문지 질문 예시	
	1. 귀하의 나이는? ① 10대 ② 20대 ③ 30대 ④ 40대 ⑤ 50대
	2. 귀하의 성별은? ① 남성 ② 여성
	3. 귀하의 직업은? ① 학생(중학생 이하) ② 고등학생 ③ 대학생 ④ 주부(가사노동) ⑤ 직장인 ⑥ 자영업 ⑦ 기타 ( )
	4. 얼마나 자주 시립도서관을 이용하십니까? ① 1주일에 3번 이상 ② 1주일에 1번 이상 ③ 2주일에 1번 이상 ④ 1개월에 1번 이하 ⑤ 특정 기간에만(예: 방학이나 시험시간 등)
	5. 시립도서관을 자주 이용하지 않는다면 그 이유는 무엇입니까? ① 불편한 교통 ② 낙후된 시설 ③ 이른 폐관 시간 ④ 자료 부족 ⑤ 기타:( )
	6. 시립도서관 자료실 및 대출실의 폐관 시간이 적당하다고 생각하십니까? ① 너무 이르다 ② 이른 편이다 ③ 적당하다 ④ 늦은 편이다 ⑤ 너무 늦다
	7. 적당하지 않다고 생각하면 귀하가 생각하는 희망 폐관 시간은? ① 20시 ② 21시 ③ 22시 ④ 23시 ⑤ 24시
	8. 이용 시간 연장으로 인력이 추가 필요하게 된다면 어떻게 충당하는 게 좋다고 생각하십니까? ① 자원봉사자 ② 아르바이트 ③ 공공근로자 ④ 추가 직원 고용 ⑤ 기타
	9. 시립도서관에 자원봉사자로 활동하실 의향이 있으십니까? ① 예 ② 아니오
	10. 도서관 이용 시간이 연장된다면 더 이용할 생각이십니까? ① 적극 이용 ② 대체로 늘어날 것 ③ 변함없을 것 ④ 오히려 줄어들 것 ⑤ 기타

김원태 외, 《아름다운 참여: 청소년을 위한 사회참여 안내서 > 2004, 돌베개

STEP.02 **대안정책 조사하기**

여러분이 선택한 문제점을 해결하기 위해 관련 행정기관이 고안해서 실행하고 있는 정책, 또는 시민사회단체들이 제안하고 있는 정책들이 있는지 살펴봅니다. 그리고 이들의 정책이 갖는 장점과 단점을 논의합니다.

■ 관련 행정기관과 시민사회단체 외에도 책, 신문기사, 인터넷 정보, 전문가, 지방의회 의원 또는 국회의원 등을 통해 최선의 정보를 얻을 수 있는 정보원을 찾습니다.

■ 정보원에게 정보를 얻고자 할 경우 전화, 이메일, 방문 인터뷰, 편지 등 관련 정보를 효과적으로 얻을 수 있는 방법을 찾습니다.

■ 이 문제를 해결하는 데 있어 이해관계가 엇갈리는 경우 이견이 있는 개인과 단체의 설명을 충분히 조사합니다.

🔍 관련정보 수집하기

조사팀원의 이름 :

날짜 :

조사 중인 문제점 :

방문한 도서관, 사무실, 기관, 웹사이트 명칭 :

1. 정보원

　가. 간행물/웹사이트 이름 :

　나. 필자(있을 경우) :

　다. 간행물/웹사이트 날짜 :

2. 이 자료를 선택한 이유 / 문제점 및 해결방안과 관련하여 얻은 정보를 기록해보자.

🔍 대안정책 조사하기

1	현행 정책 또는 제안되고 있는 정책 내용은 무엇인가요?
2	그 정책을 제안하는 개인이나 단체는 누구인가요? (※ 여러분 모둠에서 나온 정책 아이디어라면 제안자는 여러분이 될 수 있습니다)
3	이 정책들의 장점과 단점은 무엇일까요?
4	지역사회에서 이 정책들을 지지할 만한 다른 개인이나 단체들은 누구입니까?
5	지역사회에서 이 정책들을 반대할 만한 다른 개인이나 단체들은 누구입니까?

최선의 해결방법 찾기

1단계와 2단계를 통해 문제점과 그 문제를 해결하기 위한 기존 정책들을 살펴보았다면, 이제 여러분이 최선의 해결책으로 제안할 공공정책을 결정해야 합니다.

■ 최종적인 공공정책은 여러분의 독창적인 아이디어를 통해 나올 수도 있습니다. 기존에 여러분이 살펴보고 논의했던 대안정책들 중 하나일 수도 있고, 그 정책들 중 일부를 수정한 것일 수도 있습니다.

■ 여러분이 선택한 공공정책에도 그 장점과 더불어 어떤 한계가 있는지 명확하게 밝힙니다.

■ 어떤 단위의 정부가 여러분이 제안한 정책을 실행할 책임이 있는지 밝히고, 그 이유도 명확하게 설명합니다.

■ 끝으로 여러분이 제안한 공공정책이 전 사회 구성원이 지키고 있는 헌법에 위배되지 않는지 살펴봅니다.

🔍 해결방안 만들기

1	선정한 문제점을 해결하기 위해 여러분이 제안하는 최고의 공공정책은 무엇인가요?
2	이 정책의 장점은 무엇인가요?
3	이 정책의 단점은 무엇인가요?
4	어떤 단위의 정부(정부기관)가 제안한 정책을 실행할 책임이 있나요? 왜 이 단위의 정부에 책임이 있을까요?
5	제안한 정책이 헌법/법률/조례를 위반하지 않는 합당한 이유를 설명하세요

프로젝트 사업계획서

문서분류	경영/기획
작성자	
작성일자	

아래와 같이 사업계획서를 제출합니다.

담 당	부 장	회 장	지도교사

사업(영업) 환경	
프로젝트 명	
프로젝트 시행목적	
프로젝트 개요 / 추진방향	
프로젝트 운영계획	
프로젝트 시행 후 얻을 수 있는 이익	
프로젝트 진행기간	
소요예산	
기타 제안 및 요구사항	

주요 영업추진계획(Key Action & Activity plan)			
무엇을 (Action Item)	언제 (When)	누가 (By whom)	비고 (Remarks)

사업진행 점검사항		
진행 과정	실시 전	실시 중	실시 후
세부 내용			

사업(영업)추진 세부전략

문제점 및 해결방안	
문 제 점	해 결 방 안

지원요청사항

실행계획 만들기

문제점을 해결할 최선의 공공정책이 수립되었다면, 이제 이 정책 실현에 관련이 가장 높은 정부 당국을 설득하여 이 정책이 실행될 수 있도록 면밀하게 계획을 짜야 합니다.

■ 여러분이 제안할 정책을 적극 지원해 줄 수 있는 영향력 있는 개인들과 단체들을 찾아 지지를 얻기 위해 할 수 있는 일들이 무엇인지 살펴봅니다.

🔍 실행계획 수립하기

1	우리 모둠의 실행 계획에 포함된 주요 활동을 적어봅시다
2	우리 모둠이 제안한 정책을 적극적으로 지원해줄 수 있는 영향력 있는 개인들과 단체들은 누구인가요?
3	위의 2번에서 답변한 개인들이나 단체들의 지지를 얻기 위해 우리 모둠이 할 수 있는 일은 무엇입니까?
4	우리 모둠이 제안한 정책에 반대할 수 있는 영향력 있는 개인들과 단체들은 누구인가요?
5	위의 4번에서 답변한 개인들과 단체들의 지지를 얻을 방법은 무엇인가요?
6	우리 정책에 반대할 수 있는 영향력 있는 정부 관리들이나 기관들은 누가 있나요?
7	위의 6번에서 답변한 정부 관리들이나 기관들의 지지를 얻을 방법은 무엇인가요?

🔍 사회참여 활동 세부 실행계획서 작성

문제제기 - 활동주제	Q. 해결하고자 하는 문제(주제)가 무엇입니까?
	Q. 무엇이 불편한가요? 그 문제는 어떤 가치를 훼손하고 있지요?
문제원인 분석	Q. 문제의 원인(불편한 이유)은 무엇일까요? - 다양한 관점에서 원인을 분석하고 책임이 누구에게 있는지 알아보세요. - 관련 법률과 다른 지역 또는 외국의 사례도 찾아보세요.
해결방안	Q. 제기하신 문제는 어떻게 되어져야 할까요? - 여러분이 생각하는 문제의 해결책을 써보세요.
실천활동 방법	Q. 문제 해결을 위해 어떻게 할까요? 예) 캠페인, 서명하기, 설문조사, 신문이나 방송국에 편지 쓰기, 청원활동, 조례제정, 모금 활동, 봉사활동, NPO활동, UCC제작하고 알리기, SNS에 글 올리기, 사이버 서명운동 등 - 여러분이 생각하는 가장 적절하고 효과적인 방법은?
일정 및 역할	Q. 실천활동 일정과 역할을 써 볼까요? - 언제, 어디서, 누구와 어떻게 할 건가요? - 모둠원 각자의 역할은 무엇입니까?

STEP.05 설득하고 지지를 이끌어내기

 우리가 만들어낸 정책(해결방안)을 주변 사람들에게 적극 홍보하고 설득하여, 많은 사람들에게 우리의 정책(해결방안)이 지지를 받고 있다는 걸 알려준다면 우리의 정책(해결방안)에 대한 신뢰도가 높아지겠지요?

■ 다른 한 편으로 여러분이 제안할 정책에 반대할 수 있는 개인이나 단체들을 찾아 그들을 설득해 지지를 획득할 수 있는 방법을 찾아 봅니다.

■ 여러분의 공공정책을 주변 지역에 알려 지지를 얻어낼 수 있는 다양한 홍보 방법을 고민하고 실천해 봅시다. 거리 홍보, 언론 보도자료 배포, SNS 활용 등 여러 방법들이 있을 수 있습니다.

✦❋✧✧✦ ✦❋✧✧✦ ✦❋✧✧✦ ✦❋✧✧✦ ✦❋✧✧✦ ✦❋✧✧✦

🔍 펀딩(지지자) 모집 브리핑 준비하기

PT를 준비하여, 우리 모둠의 프로젝트를 지지해줄 사람들을 모아봅시다!!

1. 여러분은 왜 여러분의 이야기를 발표하려고 합니까?
2. 프리젠테이션의 목표가 무엇입니까?
3. 발표 대상자가 누구입니까?
4. 어디서 발표를 하려고 합니까?

▶ 위의 내용을 기반으로, 발표 내용을 구체화 해봅시다!

1 자기 소개: 여러분은 누구이며 팀원들은 누구인가?

2 도전 과제 정의: 마주친 문제는 무엇이며, 대상 이용자는 누구인가?

3 발견하기: 여러분이 인터뷰한 상대가 누구이고, 누구를 관찰했으며, 알아낸 것이 무엇이었는가?

4 아이디어내기: 어떤 콘셉트를 끌어냈으며, 어떻게 해결방안을 만들었는가?

5 반복하기: 어떤 피드백을 받았으며, 지속적인 실험에 대한 피드백을 어떻게 정리했는가?

6 행동 촉구: 여러분의 팀은 다음에 무엇을 할 것인가? 다른 사람들 을 어떻게 참여시키고 도울 것인가?

	TEAM _	OUR CHALLENGE
우리 팀 프로젝트의 지지자를 모집합니다		
	step 1 : 팀 소개 -여러분의 팀은 누구입니까? -여러분의 역할은 무엇입니까? -팀원들과 그들의 역할에 대해 흥미로운 점은 무엇입니까?	step 2 : 도전 과제 정의 -어떤 도전과제로 시작했습니까? -가장 큰 의문점은 무엇이었습 니까? -도전과제는 문제점의 해결과 어떤 연관성이 있습니까?
OUR LEARNINGS	OUR INSIGHTS	WHAT'S NEXT?
step 3 : 이용자로부터 배운 점 -조사를 어떻게 진행했습니까? -조사를 통해 발견한 것은 무엇 입니까?	step 4 : 프로젝트 내용 도전과제와 조사를 기반으로 만 든 것은 무엇입니까?	step 5 : 향후 계획 여러분의 프로젝트는 어떻게 더 좋게 근본적으로 변화시킬 것 입 니까?

🔍 인터뷰(면담) 준비하기

날짜 및 장소		
면담자 인적사항	성명	
	소속 및 직책	
	연락처	

질 문 예 시	가. 이 문제가 우리 지역사회에서 얼마나 심각하다고 보십니까?
	나. 이 문제가 우리 사회에서 어떤 형태로 얼마나 퍼져 있나요?
	다. 이 문제는 누구에 의해 해결되어야 할까요? - 정부(또는 지방자치단체 등 공공기관)에게 책임이 있나요? - 다른 사람도 문제 해결에 책임이 있나요? 왜 그렇게 생각하시나요?
	라. 다음 중 사실에 가깝다고 생각하는 것에 표시하세요 - 이 문제를 다루기 위한 정책이나 법률이 있다. 예 □ 아니오 □ - 이 문제를 다루기 위한 법률이 적절하지 않다. 예 □ 아니오 □ - 이 문제를 다루기 위한 법률은 적절하나 잘 집행되고 있지 않다. 예 □ 아니오 □
	마. 어떤 정부기관과 공무원이 이 문제를 다룰 책임이 있나요? 이 문제에 대해 그들은 무엇을 하고 있나요?
	바. 이와 관련된 정책처리를 둘러싸고 지역사회에는 어떤 상이한 견해들이 있나요?
	사. 이 문제에 대해 정보를 가지고 있으며 의견을 밝히고 있는 개인이나 단체가 있습니까? - 왜 그들은 이 문제에 관심을 갖고 있나요? - 그들은 어떤 입장을 갖고 있나요? - 그들 입장의 장점과 단점은 무엇인가요? - 그들 입장에 대한 구체적인 정보를 얻을 수 있나요? - 문제 해결을 위해 정부에 어떻게 영향력을 행사하고 있나요?

	아. 저희 청소년들이 이 문제점을 처리할 공공정책을 마련한다면,
	     우리의 정책을 채택하도록 정부나 지방자치단체에 어떻게 영향력을
	     행사할 수 있을까요?

민주화운동기념사업회, <프로젝트 시티즌: 학생용 레벨 Ⅰ>,2009 p.14 (일부수정)

서명 운동하기

안녕하세요? OO시민 여러분

저희는 세종중학교 사회참여 동아리입니다. 저희는 지난 10월, 1개월 동안 OOOO 시내 중,고등학생 및 대학생, 일반 시민 등 총 OO명을 대상으로 '시립 도서관 종합 자료실과 폐관 시간 연장'에 대한 설문조사를 실시하였습니다. 그 결과 응답자의 95%가 현재 폐관 시간은 너무 이르다고 생각하고 있으며 폐관 시간이 연장되면 지금보다 더욱 적극적으로 도서관을 이용할 것이라고 응답하였습니다.

저희는 이 설문조사 결과를 바탕으로 시민 여러분의 서명을 받아 OO시에 민원을 제기할 예정입니다. 여러분의 서명은 도서관 이용 편의가 향상되는데 큰 힘이 될 것입니다. 'OO시 소재 시립 도서관 종합 자료실과 대출실, 시청각 자료실 이용시간을 23시로 연장'에 찬성하시는 분은 아래 용지에 서명해주세요. 감사합니다.

세종중학교 환경 시민 사회참여동아리 대표 OOO

OO시 소재 시립 도서관 종합 자료실과 대출실, 시청각 자료실 이용
시간을 23시로 연장할 것을 요구합니다.

성명	학교/직장명	주소	서명

시민기자 활동하기

1. 기획하기	
2. 취재하기	
3. 기사쓰기	
4. 퇴고하기	

STEP.05 결과 평가하기 및 보완하기

🔍 알아봅시다

1.여러분의 프로젝트 결과에 대해 긍정적, 부정적 또는 중립적으로 생각되는 모든 이해관계자의 목록을 작성하십시오.

긍정적 효과	• • •
부정적 효과	• • •
중립적 입장	• • •

2. 긍정적인 효과를 높이고 부정적인 효과를 줄이는 방법을 찾아봅시다.

▶ 되돌아보기

– 우리의 사전 목표는 무엇이었습니까?

– 무엇을 배울 수 있었습니까?

– 가장 놀라운 순간은 언제였습니까?

사회적 참여동아리 나눔활동 회의록 ①
'히어로'는 우리 !

○ 우리가 첫 번째로 도움을 드리고 싶은 집단은?

○ 어떤 나눔을 하면 좋을까?

○ 어떤 문구를 새기면 좋을까? 우리의 목적이 잘 드러나도록?

▶ 다양한 사회참여 활동 분야

가. 도움 수요자를 위한 서비스 활동

유형	활동분야	주 요 활 동
직접 서비스	아동청소년 복지	□말벗 상담 □생활학습, 활동지도 □보호관찰 활동 □가정초대 □동반외출여행 □생일축하
	장애인 복지	□훈련,외출보조 □재활서비스 협력 □가정행사, 모임에 초대 □말벗 상담 □물리치료 보조 □동반외출 여행
	노인복지	□말벗상담 □취미활동 지도 □신변보조 □독서보조 □외출보조 □가족기능 대행 □가정초대 □행사모임초대 □질병간호 □노인봉사프로그램 활동지원
	부녀복지	□직업상담 □인생상담 □기술·교양교육 □자녀학습 보조 □생일축하
간접 서비스	물품기부	□후원·결연금 지원 □도서·기자재 지원 □의류·생활용품 기증 □학습자료 기증 □김장·밑반찬 제공
	근로봉사	□전문가 보조 □환경미화 □청소·세탁 □가사보조 □시설보수 □조리·식사배달 □행사지원
	기능봉사	□사서활동 □점자번역 녹음 □법률상담 □이·미용 □진료활동 □가전제품 수리

나. 사회복지 기관 시설을 위한 업무지원

활동분야	과 업 내 용
전문업무 지원	□각종 행사 기획·집행 협력 □견학자 현장 안내 □정보 모니터링 □자료수집·스크랩 □자료번역 □서류·서식 정리 □뉴스레터 편집·취재 발송 □자원봉사 상담·접수 □교육훈련 보조 □교재개발 □자원봉사자 모집 활동 □연락업무 □조사활동 지원
단순업무 지원	□교육중 자녀 돌보기 □워드프로세싱 □앨범정리 □물품·비품정리 □홍보물 발송·배포 □행사안내 □실내외 단체 활동 보조 □물품구매 □사진촬영 □녹음활동 □캠페인 참여
시설관리 지원	□게시판 정비 □디스플레이 □시설, 장비 유지 및 보수

다. 지역공동체를 위한 자원봉사 활동

활동분야		과 업 내 용
공공기관협력	보건소병원	□호스피스 □환자위문 □환자동행 □건강정보제공 □도서대출 □접수안내 □가족상담 □보건 위생강좌 □병실안내 □물품보관 □거즈접기, 붕대감기등
	도 서 관	□안내 □도서대출 □업무보조
	박 물 관	□안내, 상담 □홍보 □청결유지 □업무보조
	교육기관	□약물예방교육 □기능교육 □학습보조 □교재개발 □학습부진아 지도 □사회교육프로그램 계획참여 □성교육 □특별활동지도
	관 공 서	□민원접수 □상담, 안내 □대필 □산불예방감시 □재난예방, 구조활동 □업무보조
지역사회문제개선	환경분야	□재활용품분리수거 □쓰레기수거 □폐건전지수거 □어린이 환경모임지도 □환경오염 예방, 감시 □오염현장조사 □환경보호캠페인 □고발센터운영
	교정치안분야	□성폭력상담 □출소자상담 □학교 유해환경퇴치 □청소년선도 □보호관찰활동 □우범지역순찰
	소비자보호운동	□소비자 상담, 조사 □도,농(都農)공동체 운동 □의식계몽 활동
	교통분야	□어린이 교통정리 □행사 교통정리 □카풀자원봉사 □노인교통정리 □교통위반감시 □긴급구조 봉사대 □장애, 노약자를 위한 교통봉사단 결성 □교통 안전캠페인
지역사회문제개선	복지분야	□문제당사자 발견 및 사회복지기관 연결 □주민활동 조직 및 선린의식 실천 □불편시설 개선, 제거 및 편의시설 확충 □구조, 제도적 불이익 사례수집, 보고서 작성 □보건복지 제도, 정책 개선활동 □후원회 결성, 지원 □자조집단결성, 지원
기타	장기기증	□안구, 각막기증 □장기기증 □헌혈
	국제협력	□후진국 사회개발봉사활동 □원조캠페인

사회적 참여동아리 나눔활동 회의록 ②
'히어로'는 우리 !

	회의 일자	2020년 ( )월 ( )일 ( )교시, 참석자 ( )명
	프로젝트 명	
	프로젝트 목적	
사 람	나눔을 줄 사람?	
	우리 프로젝트를 알릴 사람?	
	우리 프로젝트를 도와줄 사람?	
활 동 계 획	활동시간 / 선정이유 (우리 활동을 잘 알릴 수 있는 시간?)	
	활동장소 / 선정이유 (어떤 계층 사람이 많은 곳? 협조 가능한 곳)	

역할 분담	기 획 부	
	총 무 부	
	영업/마케팅부	
	디 자 인 팀	
필요 물품 및 사전 준비사항		
예상되는 문제점 및 해결 방안		

프로젝트 종료 후 생길 변화	우리 안의 작은 변화 (팀원들에게 어떤 변화가 생길까?)	
	우리가 만든 작은 변화 (사회 혹은 사람들에게 어떤 영향을 미칠까?)	

로컬 파이오니어
인터뷰

▋ Local Pioneer Interview ▋
로컬을 청소년에게 듣다.

사회참여동아리 활동을 통해 학생들이 지역 사회 다양한 문제를 인식하고 자기 주도적으로 문제를 해결하는 역량을 향상시키고, 긍정적인 지역 사회 변화를 유도하는 주체적 참여자로서 세상을 바꾸는 민주시민으로 성장하는 즐거움을 마음껏 만끽하고 있는 사회참여동아리 학생들을 직접 만났다.

"2020학년도"

1. 사회참여동아리 결성은 어떻게 하게 되었나요?

(최승혁 회장) 그레타 툰베리(스웨덴 청소년 환경운동가)가 어린 나이에도 불구하고 환경보호 운동에 앞장서고 있다는 뉴스를 접하고, 우리도 우리 지역 사회를 위해 무엇인가 할 수 있다는 자신감을 느끼게 되어 시작하게 되었습니다.

(최강현 총무부장) 우리 사회문제에 대해 배우고 토론하고 사람들이 잘 알지 못하는 문제점들을 세상에 알려 세상에 긍정적인 변화를, 우리 청소년들이 선도해보자는 마음으로 결성하게 되었습니다.

2. 관심을 두는 사회문제의 범위는 어떻게 되나요?

(신영록 기획부장) 우리는 우리가 살고 있는 지역인 밀양과 밀

양의 가곡동의 문제에 관심을 갖고 해결하기 위해 노력하고 있습니다.

(신재현 디자인팀장) 툰베리처럼 환경문제부터 독거노인과 같은 사회문제, 그리고 이슈가 되는 사건/사고와 관련된 문제 등 우리 지역의 문제에 대해 모두 관심을 갖고 활동하고 있습니다.

3. 특별히 가곡동의 문제에 중점을 둔 이유가 있을까요?

(정세중 홍보/마케팅부장) 우리 동네는 지금도, 내일도 우리가 살아가야 하는 곳이며, 앞으로도 계속 우리 동네가 아름다운 동네로 남았으면 하는 바람에서 시작되었습니다.

(최승혁 회장) 네, 우리가 청소년이지만, 밀양에서 태어나고 자란 밀양시민으로서 우리가 충분히 우리 동네를 지켜나갈 수 있다고 생각했고, 가장 잘 할 수 있는 것이라고 생각했습니다.

4. 왜 '너DO나DO 살기좋은 가곡동 만들기 프로젝트'인가요?

(신영록 기획부장) 가곡동은 우리가 하루 중 가장 오랜 시간을 보내는 곳입니다. 등교해서 학교에 머무르다, 친구들과 편의점에서 간식을 사먹고, 학원도 갔다가 집에 돌아갑니다. 그런 학창시절의 추억이 가득한 곳이 먼 미래에 슬럼화되어 사라진다고 생각하면 너무 슬픈 일입니다. 그래서 이 프로젝트를 시작하게 되었습니다.

(신재현 디자인팀장) 가곡동은 밀양역을 통과해서 여행객들이 밀양과 마주하는 첫 번째 동네이기 때문에 밀양의 첫인상이며, 가곡동 주민들에게는 따뜻한 고향입니다. 그런 곳이 무관심 속에서 점점 쓸모없는 공간으로 인식되어가는 것이 너무 안타까웠습니다.

5. 청소년 사회참여에 관해 각자 의견과 앞으로의 계획은 무엇인가?

(회장) 우리 동아리는 우리 지역에 진정으로 필요한 것이 고민하고 또 고민하고 있습니다. 우리의 노력이 진정으로 우리 지역 사회에 큰 도움이 됐으면 좋겠습니다, 지금까지 실행했던 프로젝트처럼 앞으로도 우리 지역의 문제를 해결하고 많은 사람에게 보탬이 되는 의미 있는 활동으로 이어나갈 수 있도록 노력하겠습니다.

(기획부장) 지금까지 지역 사회의 일에는 참여해본 일이 없기 때문에, 청소년이 사회의 일에 참여하고 의견을 낼 수 있다는 것은 매우 근사한 일인 것 같습니다. 앞으로 우리뿐만이 아닌 다른 학생들도 참여할 수 있으면 좋겠습니다. 앞으로의 계획은 지금의 프로젝트를 성공적으로 마무리하는 것이 우선인 것 같습니다. 앞으로 많은 분께서 우리의 활동에 많은 관심과 도움을 주셨으면 하는 바람이 있습니다.

(총무부장) 우리가 가진 예산 내에서 우리 지역 사회와 이웃들 사이에서 사회활동을 펼칠 수 있는 더 많은 방안을 모색할 것이며, 학생들 한명 한명이 사회참여의 의미와 가치를 몸소 느낄 수 있는 프로젝트를 만들어 널리널리 알릴 것입니다. 우리들은 우리가 살고 있는 지역 사회를 더 살기 좋은 곳으로 만들 수 있다는 책임감을 가지고 절대로 예산이 낭비되는 일이 없도록 최선을 다할 것입니다. 우리 동아리는 우리 학교를 벗어나, 내가 살고, 우리가 살고 있는 우리 지역 사회를 위해서 앞으로 졸업한 이후에도 계속 노력할 것입니다.

(홍보/마케팅부장) 여러 지역의 단체들이 청소년도 사회활동의 주체가 될 수 있으며, 학생들이 직접 사회를 변화시켜 나갈

수 있다는 생각과 마음가짐을 가질 수 있게 앞으로도 더 많은 활동을 해나가겠습니다.

(디자인부장) 우리 동아리의 노력 과정, 그리고 결과가 학생은 할 수 없다는 어른들의 인식을 바꿔줌과 동시에, 또 다른 친구들에게 할 수 있다는 용기를 심어주고 싶습니다. 결과가 좋지 않더라도 우리가 행동하고 실천했던 과정이 중요하다는 교훈까지 줌으로써 우리 지역을 한층 더 풍요롭고 살기 좋은 지역으로 만들고 싶습니다.

"2021학년도"

1. 사회참여동아리(SJCEF) 참여는 어떻게 하게 되었나요?

🎖🎖🎖(회장 한준기) 2020년부터 선배들이 창설하여 운영 중이었습니다. 지난해에는 홀몸노인, 청소년, 장애인을 돕기 위한 프로젝트를 실천했습니다. 올해는 작년에 미진했던 노인 문제 해결과 함께 우리 사회가 직면한 기후위기 문제를 해결하고 싶어서 사회참여동아리에 참여하게 되었습니다.

🎖🎖🎖(기획부장 이재열) 유튜브를 보며 환경 문제의 심각성에 대해 많이 알게 되었습니다. 저희 할머니, 할아버지께서는 밀양에서 농사를 지으시는데, 최근 늘어난 태풍이나 장마로 수확량이 많지 않아 자식같은 농작물을 바라보며 안타까워하십니다. 이런 문제를 겪고 있는 우리 지역사회 사람들이 저희 할머니, 할아버지 뿐만이 아니라고 생각하고 환경 문제를 해결하기 위한 실천이 필요하다고 생각되어 참여하게 되었습니다.

🎖️🎖️🎖️(기획부원 곽치원) 그레타 툰베리(스웨덴 청소년 환경 운동가)가 어린 나이에도 불구하고 환경보호 운동에 앞장서고 있다는 뉴스를 접하고, 우리도 우리 지역 사회를 위해 무엇인가 할 수 있다는 자신감을 느끼게 되어 시작하게 되었습니다.

🎖️🎖️🎖️(기획부원 강수부) 우리 사회문제에 대해 배우고 토론하고 사람들이 잘 알지 못하는 문제점들을 세상에 알려 세상에 긍정적인 변화를, 우리 청소년들이 선도해보자는 마음으로 결성하게 되었습니다.

2. 프로젝트 이름이 왜 'S(SILVER)-G(GREEN) 친화도시 만들기 프로젝트'인가요?

🎖️🎖️🎖️(총무부장 김규영) 프로젝트 이름을 정하는 과정은 동아리 구성원들이 3월 팀의 목적과 비전을 정한 뒤에 이루어졌습니다. 문제 상황을 선정한 후, 그 문제에 가장 적합한 프로젝트 이름을 신청받고 이름 공모전을 열었습니다.

🎖️🎖️🎖️(영업/마케팅부장 조현준) 우리들이 활동 목적과 비전이 환경과 노인 문제 해결입니다. 사람들에게 우리의 활동을 알릴 때, 단순히 이름을 제시하면 불편하고 힘든 것이라고, 생각하여 문제해결 참여 의지를 잘 보이지 않을 것 같았습니다. 마치 요즘 아파트 이름들처럼 말입니다. 그래서 뭔가 대단한 것을 한다고 생각하게 만들면 우리들의 활동에 더 많은 지지를 보여주지 않을까 생각하여 이름 붙였습니다.

3. 관심을 두는 사회문제의 범위는 어떻게 되는지.

🔹🔲🔹(기획부장 이재열) 우리는 우리가 살고 있는 지역인 밀양과 밀양의 가곡동의 문제에 관심을 갖고 해결하기 위해 노력하고 있습니다.

🔹🔲🔹(디자인부장 염지원) 툰베리처럼 환경문제부터 독거노인과 같은 사회문제, 그리고 이슈가 되는 사건/사고와 관련된 문제 등 우리 지역의 문제에 대해 모두 관심을 갖고 활동하고 있습니다.

4. 특별히 가곡동의 문제에 중점을 둔 이유가 있을까요?

🔹🔲🔹(홍보/마케팅부장 조현준) 우리 동네는 지금도, 내일도 우리가 살아가야 하는 곳이며, 앞으로도 계속 우리 동네가 아름다운 동네로 남았으면 하는 바람에서 시작되었습니다.

🔹🔲🔹(회장 한준기) 네, 우리가 청소년이지만, 밀양에서 태어나고 자란 밀양시민으로서 우리가 충분히 우리 동네를 지켜나갈 수 있다고 생각했고, 가장 잘 할 수 있는 것이라고 생각했습니다.

5. 청소년 사회참여에 관해 각자 의견과 앞으로의 계획은 무엇인가요?

🔹🔲🔹(회장 한준기) 청소년들이 이렇게 열심히 두 발로 뛰

고 있다는 것을 많은 사람들이 알아주셨으면 좋겠습니다. 지금 대회를 진행하고 있는 10월부터 현재까지도 다양한 지역사회의 어른들을 만나며 우리의 활동을 설명드리고 도움을 받으며 문제를 해결해나가고 있습니다. 앞으로 저희의 활동이 매개체가 되어 우리 지역사회의 노인과 환경에게 따뜻한 희망의 불씨가 되어 다가가고 싶습니다.

(총무부장 김규영) 저희는 하루에도 수없이 많은 갈등을 마주하며 살아가고 있습니다. 우리가 조금씩 문제를 해결해나가면 우리가 성인이 되어 지역사회와 마주했을 땐 조금 더 행복한 사회가 될 것 같습니다.

(영업/마케팅부 이수민) 동아리 활동을 통해, 함께 고민하면 더 나은 해결방법이 나온다는 것을 많이 느꼈습니다. 앞으로도 우리 지역사회의 문제점을 살펴보고, 최선의 해결방법을 찾아 해결하는 우리 동네의 어벤져스가 되고 싶습니다.

(기획부장 이재열) 동아리에서 다양한 활동을 하면서, 우리가 살아가고 있는 지역의 문제는 오지선다형 문제로 풀어낼 수 없다는 것을 깨닫게 되었습니다. 현재의 시민으로 성장할 수 있도록 배움을 실천할 수 있는 능력을 꾸준히 길러나가고 싶습니다.

(총무부원 김민준) 우리 동아리는 우리 지역에 진정으로 필요한 것이 고민하고 또 고민하고 있습니다. 우리의 노력이 진정으로 우리 지역 사회에 큰 도움이 됐으면 좋겠습니다, 지금까지 실행했던 2개 프로젝트처럼 앞으로도 우리 지역의

문제를 해결하고 많은 사람에게 보탬이 되는 의미 있는 활동으로 이어나갈 수 있도록 노력하겠습니다.

🎭🎮🎭(마케팅부원 이수민) 지금까지 지역 사회의 일에는 참여해본 일이 없기 때문에, 청소년이 사회의 일에 참여하고 의견을 낼 수 있다는 것은 매우 근사한 일인 것 같습니다. 앞으로 우리뿐만이 아닌 다른 학생들도 참여할 수 있으면 좋겠습니다. 앞으로의 계획은 지금의 프로젝트를 성공적으로 마무리하는 것이 우선인 것 같습니다. 앞으로 많은 분께서 우리의 활동에 많은 관심과 도움을 주셨으면 하는 바람이 있습니다.

🎭🎮🎭(총무부원 윤서진) 우리가 가진 예산 내에서 우리 지역 사회와 이웃들 사이에서 사회활동을 펼칠 수 있는 더 많은 방안을 모색할 것이며, 학생들 한명 한명이 사회참여의 의미와 가치를 몸소 느낄 수 있는 프로젝트를 만들어 널리널리 알릴 것입니다. 우리들은 우리가 살고 있는 지역 사회를 더 살기 좋은 곳으로 만들 수 있다는 책임감을 가지고 절대로 예산이 낭비되는 일이 없도록 최선을 다할 것입니다. 우리 동아리는 우리 학교를 벗어나, 내가 살고, 우리가 살고 있는 우리 지역 사회를 위해서 앞으로 졸업한 이후에도 계속 노력할 것입니다.

🎭🎮🎭(디자인부원 백무겹) 여러 지역의 단체들이 청소년도 사회활동의 주체가 될 수 있으며, 학생들이 직접 사회를 변화시켜 나갈 수 있다는 생각과 마음가짐을 가질 수 있게 앞으로도 더 많은 활동을 해나가겠습니다.

🎭🎮🎭(디자인 부원 장승주) 우리 동아리의 노력 과정, 그리고 결과가 학생은 할 수 없다는 어른들의 인식을 바꿔줌과 동

시에, 또 다른 친구들에게 할 수 있다는 용기를 심어주고 싶습니다. 결과가 좋지 않더라도 우리가 행동하고 실천했던 과정이 중요하다는 교훈까지 줌으로써 우리 지역을 한층 더 풍요롭고 살기 좋은 지역으로 만들고 싶습니다.

5. 끝으로 기후위기에 대해 어떻게 생각하나요?

- 기후위기란 엄마 잔소리이다. 들으면 기분이 좋지 않지만, 하면 좋은 거니깐

- 기후위기란 사랑의 매이다. 나 잘되라고 하는 거니깐

- 기후위기란 탄산음료이다. 흔들면 터지기 때문에

- 기후위기란 빙산이다. 보이지 않는 부분이 더 크기 때문에

- 기후위기란 수학이다. 너무 해결하기 어려운 문제이다.

- 기후위기란 미완성이다. 미래를 도통 알 수 없기 때문이다.

- 기후위기란 단체 카톡방이다. 잠시 보지 않아도 엄청 많이 쌓이기 때문이다.

- 기후위기란 우물이다. 계속 쓰다간 결국 말라버린다.

- 기후위기란 시계이다. 시계는 건전지가 다 떨어지면 결국 멈춘다.

- 기후위기란 기차이다. 결국에 종착역은 정해져있기 때문이다.

- 기후위기란 안개이다. 종잡을 수 없기 때문에…

- 기후위기란 샤브샤브이다. 모든 것을 익혀버리니깐…

- 기후위기란 물가이다. 점점 올라가니깐…

- 기후위기란 운동화이다. 나의 일상 속 한 부분이기 때문에…

- 기후위기란 우리엄마이다. 소중하고, 없으면 안되고, 열받으면 무서우니까…

- 기후위기란 여자친구이다. 종잡을 수 없기 때문에…

- 기후위기란 방학숙제이다. 변화가 존재하고 진행중임에도 아직은
  먼 미래같은, 하지만 당장 시작해야 하는 과제이기 때문에…

- 기후위기란 슬픈노래다. 기후위기 소식을 들을 때마다 마음이 아프다.

- 기후위기란 남의 집에 난 불이다.

1. 가로수 관련 활동 및 산림 보호 활동을 기획하게 된 계기는?

지난해 동아리 선배들은 우리 동네를 환경친화도시로 만들기 위해 다양한 활동들을 진행했습니다. 올해 초 3월에 동아리 회의를 하면서 마인드맵으로 표현해보는 활동을 진행했는데, 그때 환경과 관련하여 나무와 관련된 키워드들이 많이 나왔습니다. 이후에 나무의 실태에 대해 조사하니 가로수도 문제가 많아서 가로수와 관련된 활동을 먼저 시작하게 되었습니다. 그러던 중에 5월 밀양에 큰 산불이 나게 되면서 산림의 문제까지 확장하여 활동을 실천했습니다.

2. 가로수 관련 활동 및 산림 보호 활동이 기존의 활동들과 다른 점은?

기존의 정책들을 살펴보면 주로 이런 행동을 했을 때, 처벌하겠다 (응보적 정의)라는 내용들이 많았습니다. 하지만 저희들은 시민 모두가 스스로 나무에 피해를 주지 않는 행동을 만들어 나갈 수 있도록 환경적인 변화를 이끌어내는 것(회복적 정의)에 초점을 두었습니다.

3. 가로수 관련 활동 및 산림 보호 활동을 할 때 팀원들은 어떤 역할을 했나요?

기획부 : 각종 아이디어를 쏟아냈습니다. 또한 다른 지역, 다른 나라의 사례를 찾고 법률을 개정할 방법을 고민했습니다.

총무부 : 각종 프로젝트 활동에 필요한 예산을 관리하고, 필요한 물품을 사는 등 역할을 진행했습니다.

마케팅부 : SNS에 지역사회 시민들과 소통하고 프로젝트를 홍보하는 활동을 진행했습니다.

디자인부 : 프로젝트에 필요한 포스터와 물품 디자인을 결정하는 역할을 수행했습니다.

4. 가로수 관련 활동 및 산림 보호 활동의 범위는?

① 가로수 이름표 달기 : 우리 친구들이 주로 등하굣길에 다니는 길을 중심으로 먼저 활동을 진행했습니다. 이후에는 주말에 동아리원들이 자율적으로 돌아다니며 가로수 이름표를 부착했습니다. 총무부에서 친환경 이름표를 300개 정도 구매를 했는데 다쓴 것을 보니 약 300개 정도의 가로수에 이름표를 부착한 것 같습니다.

② 가로수 지도 : 밀양은 서울보다 땅의 면적이 크기 때문에, 모든 가로수를 조사하기는 어려웠습니다. 그래서 밀양시민들이 가장 많이 거주하고 있는 중심지역을 중심으로 가로수 지도를 먼저 작성했습니다. 이후에는 네이버 로드맵, 구글 맵 등을 활용하여 보완하고, 시민들에게 공유하여 같이 가로수 지도를 만들어 나가고 있습니다.

③ 불법 소각 예방 캠페인 : 불법 소각이 자주 일어나는 산내면, 산외면의 지역을 중심으로 4개 마을에서 활동을 진행했습니다. 선생님 차를 타고 동네를 돌면서 불법 소각의 흔적이 있는 곳을 찾아다녔고, 그 주변과 등산로 입구에 산불과 관련한 캠페인 스티커를 붙였습니다. 또한 그 동네 이장님과 만나 적당한 위치에 더분리 수거함도 세웠습니다.

5. 가로수 관련 활동 및 산림 보호 활동이 앞으로 지속가능하도록 하기 위해서는?

우선 저희 동아리 구성원들이 1학년부터 3학년까지 섞여 있기 때문에 동아리 차원에서 진행하는 것도 가능합니다. 하지만 저희의 힘만으로는 가로수와 산림을 보호하기에는 역부족입니다.

저희가 그동안 밀양시청과 산림청에 정책으로 제안한 것들이 부족한 부분이 많아서 정책적으로 반영되지 않았지만, 앞으로도, 내년에도 저희가 정책으로 반영될 수 있는 방법을 마련하기 위해 고민을 거듭하고,

시청과 산림청에서도 함께 고민해주신다면 정책적으로 반영되어, 가로수와 산림에 대한 인식이 높아져야 기후위기를 막을 수 있을 것입니다.

6. 여러분들이 실행한 정책과 제안한 법률 개정안에 대해 시의원, 정책 담당자는 어렵다는 답변을 내놓았는데, 앞으로 변화시키기 위해서는 더 어떠한 노력이 필요할 것이라고 생각하십니까?

정책을 바꾸기 위해서는, 정책을 만드는 사람, 정책을 실행하는

사람, 인력 문제 등 어마어마한 노력들이 필요하기 때문에 당장 바뀌지 못한 것이라고 생각합니다.

당장 정책을 바꿀 수 없다면, 도시숲, 산림을 위해 쓰는 예산을 조금씩 늘리고, 나무를 보호하기 위한 캠페인을 늘리고, 나무를 보호하기 위한 아이디어 공모전을 열고, 나무를 지키려는 시민단체들에게 많은 지원을 해주시면 좋을 것 같습니다.

7. 가로수에 대해 사람들이 많은 피해를 주고 있다고 했는데, 사람들이 이것만은 꼭 지켜줬으면 좋겠다고 생각하는 것이 있다면?

현재 나무는 많은 피해를 입고 있습니다. 나무는 우리가 무엇을 해도 알아서 잘 자랄 것이다라는 느낌 때문일 것 같기도 합니다. 그 중에서도 가장 심각한 문제는 대부분의 사람들이 한번쯤 해본 가로수 주변 쓰레기 투기라고 생각합니다. 테이크아웃 커피를 버리거나, 담배꽁초를 버리거나, 쓰레기 봉투를 가로수 주변에 내어 놓는 등과 같은 행동들입니다. 나 하나쯤이야라는 생각을 버리면 가로수가 조금 더 행복해할 것 같습니다.

8. 각종 법률 개정안을 많이 제안하셨습니다. 법률 개정안을 만든 계기가 무엇이며, 개정안을 만들었던 과정에 대해 소개해주세요.

법률 개정안을 만든 이유는 저희의 활동이 조금 더 널리 알려지고 퍼져서 많은 사람들이 가로수와 산림의 힘든 상황을 알았으면 좋겠는 바람에서 시작했습니다. 저희가 직접 발로 뛰면서 여러 가지 활동을 했지만, 우리 동네를 벗어나 더 멀리까지 퍼지게 하는 것에는 한계가 있어서 산림청과 밀양시청 국민제안 홈페이지에 개정안을 올렸습니다.

> ■ 밀양시청
> - 옥외광고물법 개정안 : 현수막 책임자 제도
> - 도시숲 관련 법 개정안 : 시민 가로수 수비대, 가로수 가지치기 기준 마련
> ■ 산림청 개정안
> - 산불감시원 운영 규정 개정안 : 시민 불법 소각 감시대 책임과 권리 부여

개정안을 만들기 위해서 기존에 있는 법률을 살펴보았습니다. 저희가 법률을 읽고 이해하는 것에는 어려움이 있어서 학교에 계신 사회 선생님께 여쭤보고 어려움을 해결해나갔습니다. 그리고 나서 우리가 법률로 만들어졌으면 하는 내용을 토의하였고 선생님의 도움을 받아 개정안 제안 자료를 만들어나갔습니다.

9. 설문조사와 인터뷰를 많이 진행하셨는데, 설문지는 어떻게 만들었으며 어떤 대상들에게 진행했나요?

설문지는 다른 지자체에서 실시한 설문지를 찾아서 비교해보고 우리 동네에 맞는 설문지를 조금씩 변형하여 만들었습니다.

설문조사와 인터뷰는 우리가 하려는 활동에 가장 밀접하게 연관되어 있는 사람들을 미리 팀원들끼리 생각해보고 결정했습니다. 예를 들어 불법소각 관련한 설문조사와 인터뷰는 불법 소각이 가장 많이 일어나는 지역 주변을 대상으로 진행하였습니다.

10. 지역사회의 분위기는 어떤가요? 지역사회에서 변화된 인식이 나타나는 부분은?

세이브 더 트리 프로젝트라는 이름으로 인스타그램과 오픈채팅을 운영하고 있습니다. 이 SNS는 많은 사람들이 볼 수 있는, 지역의

맘카페와 도서관에 홍보하였는데요. 우리가 했던 활동들을 보시고, 직접 SNS에 들어와서 응원의 글도 남겨주시고, 나무와 관련된 제보도 해주고 계십니다.

저희 학교는 등교하면 핸드폰을 교무실에 내는데, 제보가 점점 많아지다 보니 이제는 쉬는시간, 점심시간에 교무실에 들어 핸드폰으로 제보온 것을 확인할 정도로 지역사회 주민들께서 많은 관심을 가져주십니다.

11. 끝으로 정부기관이나 다른 어른들이 해줬으면 하는 역할과 하고 싶은 말은?

시청에 전화로 가로수에 대해 물어봤을 때, 가로수에 대한 실태조사가 이루어지고 있지 않다는 답변을 들었습니다. 가로수가 얼마나 심어져있고, 언제 심었는지, 어떤 나무인지도 모른다면 가로수는 그냥 방치된 것이나 다름없습니다. 그래서 가로수에 대해 먼저 명확하게 조사하고, 뉴욕시처럼 시민들과 함께하는 가로수 보호에 힘써주실 수 있는 담당 부서가 만들어졌으면 좋겠습니다.

불법 소각 문제도, 처벌을 하기 보다는 불법 소각을 하지 않을 수 있도록 근본적인 원인을 제거하기 위해 폐비닐 수거나 공동 분리수거장 설치를 통한 예방 활동에도 힘써주셨으면 좋겠습니다.

조재민	밀양 산불이 나던 당시, 우리 밀양은 엄청난 패닉 상태였습니다. 하지만 지금은 산불을 모두 잊어버린 것 같습니다. 비가 오지 않으면 우산을 잊어버리곤 하는 것처럼 나무를 지키려는 마음을 잊지 않도록 우리 모두의 인식이 바뀌었으면 좋겠습니다.
서민준	사회참여동아리 활동을 하며 많은 경험들을 했습니다. 그 과정 속에서 느낀 것은, 우리도 할 수 있다는 힘이었습니다. 부족한 부분들이 많았지만, 우리 동네를 조금씩 바꿔나갈 수 있다는 희망에 너무 기뻤던 시간이었습니다.
최민석	어른들은 예산, 시간, 인력 등 많은 것들을 고민하느라, 해야할 때를 놓치게 되는 경우가 많은 것 같습니다. 어쩌면 우리가 했던 활동들이 터무니없이 힘든 것일지라도 해볼 수 있는 것이라는 것을 어른들에게 알려준 시간이 된 것 같아서 뿌듯합니다.
강태훈	처음엔 부모님께서 사회참여동아리에 들어가라고 하셔서 아무 것도 모른 채 들어왔습니다. 하지만 지금은 이 동아리가 너무 좋아졌습니다. 그동안 우리 동네에서 문제점이라고 생각되었던 것들을 나의 손으로 직접 해결해보니 너무 행복했습니다.
윤도한	뉴스에서는 기후위기가 심각하다고 합니다. 그래서 나무를 더 심으라고 합니다. 하지만 우리는 나무를 위험하게 만들고 있습니다. 나무가 없는 곳은 없습니다. 기후위기를 막기 위해서 여기 계신 분들께서 그 지역의 나무 수비대가 되어 많은 관심을 가져주셨으면 좋겠습니다.
길태영	새로운 법을 제안하고, 정책을 담당하는 어른들을 만나는 경험들은 처음에 너무 어색하기도 했고 이런 것을 우리가 할 수 있을까 생각했습니다. 하지만 이제는 익숙하고 자연스러워졌습니다. 내년에 또 사회참여동아리 활동을 해서 우리 동네를 더 좋은 동네로 바꾸고 싶습니다.

"2023학년도"

　2023년의 어느 12월, 한 해의 활동들을 정리하고 있는 세종고 SJCEF 동아리의 한준기 학생을 만났다. 인터뷰를 시작하니 적극적이고 활동적으로 정책을 제안하고 실천하던 청소년 활동가의 모습은 어디 가고 평범한 친구가 앉아있었다. SJCEF는 한 해를 마무리하는 지금도 지역 곳곳의 문제를 찾아다니며 해결사로 그리고 개척자로 나아가기 위해 쉼 없이 고민 중이었다.

1. 세종고 SJCEF는 어떤 동아리인가요?

　우리 학교 청소년 사회참여동아리인, SJCEF 동아리는 지역사회의 문제점을 탐색하고 청소년들만의 참신하고 담대한 관점으로 슬기롭게 문제를 해결하기 위해 만들어진 동아리입니다.

처음엔 단순히 등하굣길의 문제점에서부터 출발했지만, 이제는 환경 문제, 사회적 약자 문제, 지역 소멸 문제, 생물종다양성 문제까지 활동 범위의 폭을 넓혀가며, 명실상부 최고의 청소년 사회참여동아리로 성장했습니다. 2019년에 세종중학교에서 만들어져서 2022년도까지 운영되다가, 지도교사인 박창순 선생님이 세종고등학교로 오시면서 2023년도에 세종고에서 다시 SJCEF가 개설되어 명맥을 이어오고 있습니다.

이렇게 동아리가 성장하고 꾸준히 이어져 올 수 있었던 이유는, 세종중학교부터 세종고등학교까지 이어지는 마을 연계 프로젝트 교육활동의 내실화가 있었기 때문입니다. 세종중학교에서부터 동아리 활동 및 마을 연계교육과정을 경험한 친구들이 세종고등학교에서 자신의 진로와 연관지어, 좀 더 구체적이고 사회적 파급력이 큰 실천적인 프로젝트를 실천해나가고 있습니다.

회장	김O연
부회장	한O기*

구분	기획부	총무부	마케팅부	디자인부
역할	Learn team	Empower team	Share team	Inspire team
팀장	한O기*	송O욱*	임O정	김O연
대리	손O완	정O한*	최O동*	정O진
대리	김O준*	한O혁*	김O한	강O윤
사원	조O민*	최O석*	박O원	하O연

*청소년 사회참여 동아리 2년 이상 참가 학생

2. 올해 활동 비전은 무엇이며 그러한 비전을 설정하게 된 이유는 무엇인가요?

매년 동아리 구성원에 따라 동아리 활동의 비전과 목표가 달라집니다. 올해는 우리 밀양이 문화도시로 선정이 되었기도 하며, 학교 주변에 우후죽순 파크 골프장이 건설되는 모습을 바라보기도 했습니다.

이러한 배경들을 토대로, 소멸을 막는 개척자가 되어보자는 생각을 가지고 Local Pioneer(로컬 파이오니어)라는 비전을 선정하였습니다.

비전이 설정된 이후에는 우리 지역사회에서 소멸해가고 있는 것이 무엇이 있는지 마을을 돌며, 인사이트 투어를 진행하고 지역민들의 인터뷰를 진행하며 구체화시켜나갔습니다.

대표적으로 소멸하고 있는 것을 인구와 꿀벌로 선정하여 활동을 주로 진행했습니다.

3. 전통시장에 관심을 갖고 활동을 기획하게 된 계기는?

서울을 제외한 모든 지역은 지방이라고 불릴 정도로 지방 소멸의 문제가 심각합니다. 그래서 각 지자체마다 인구 늘리기에 혈안이 되어 있습니다. 우리 밀양만 보더라도, 밀양시장이 전입신고서를 들고, 삼양식품과 같은 대기업 공장을 돌며 전입신고를 받는 뉴스가 언론에 보도될 정도이니까요.

결국에 지자체마다 얼마 없는 지방 인구 수를 빼앗아가는 제

로섬 게임에 불과하다는 것을 인식하게 되었습니다.

그래서 여러 방안을 고민하다, 관계 인구를 늘리는 것이 현실적인 목표가 되어야 한다는 생각을 했습니다. 그래서 관계 인구를 늘리기 위해 로컬을 리브랜딩하여 매력 요인을 높여야 한다고 생각했습니다.

우리 밀양에는 전통시장 인근으로 영남루, 관아, 3.13만세운동거리 등 다양한 명소가 포진되어 있습니다. 전통시장은 지역민과 타지역의 관계인구를 함께 어우를 수 있는 최적의 공간입니다.

그래서 전통시장을 매개로 사람들을 끌어들일 수 있도록 정책도 제안하고, 굿즈 팝업스토어와 같은 캠페인 활동도 진행했습니다.

4. 꿀벌에 관심을 갖고 활동을 기획하게 된 계기는?

2021년도와 2022년도에 환경친화도시 프로젝트를 진행했었는데요. 그 과정들 속에서 우리 밀양은 농업의 비중이 큰 도시임을 알게 되어 환경을 위해 많은 활동을 진행했습니다.

그런데 최근 밀양시의 인구 유입 및 고령화도시와 관련한 정책으로 파크골프장이 우후죽순 늘어만 가고 있습니다. 그러다 보니 당연히 농약 살포량도 늘어가고 있습니다.

그렇게 파크 골프장이 건설된 이후, 공원 인근의 꽃들이 잘 피지 않거나, 꿀벌들의 모습들이 사라져가고 있었습니다. 꿀벌들이 더 이상 밀양의 도심에서 볼 수 없게된 것입니다. 이것은 단순히 꿀벌이 우리 마을에서 도망갔다고 볼 것이 아니라, 생물종 다양성이 침해되었다라고 보았습니다. 꿀벌이 사라지면 우리 동네에서 사과도, 고추도, 깻잎도, 딸기도 사라지고 말 것입니다.

이러한 것들을 알리고, 도심에 꿀벌의 쉼터를 만들어주고자 밀원식물 나눔 캠페인 등을 진행하였습니다.

5. 끝으로 하고 싶은 말이 있다면?

우리의 활동은 단순히, 전통시장을 활성화하는 것이 아닙니다. 우리 지역의 고유한 로컬리즘을 살리고, 세상에 우리를 알리는 글로컬리제이션 또는 로컬 리브랜딩을 하자는 것입니다.

출산율이 0.74명이라는 이야기를 들었습니다. 결국 많은 도시들이 점차 소멸 위기를 겪을 것입니다. 그때마다 인구를 늘리기 위해 돈을 주는, 혜택을 주는 정책들은 이제 의미가 없다는 것을 많은 정책 담당자 분들이 알아 주셨으면 좋겠습니다.

앞으로의 우리 동네는 누구도 가지지 못한 매력으로 사람들을 끌어들일 수 있는 매력과 환대의 도시가 되있으면 좋겠습니다.

활동 수기

▌ Local RE PROJECT ▌

로컬에서 배우고, 나를 성장시키다

지역사회에 대해 배운 적도,
지역사회에 대해 관심을 가져본 적도
없었습니다.
이 프로젝트를 통해 살펴본 우리 마을은
가슴 아픈 장면들이 많았습니다.
그들에 공감하고 하나씩 해결해나가며
우린 외쳤습니다.
"우린 할 수 있다."

내 인생의 터닝포인트!

최승혁(2020년도 동아리 회장)

 중학교 3년 생활의 마지막 시험인 3학년 2학기 기말고사가 끝난 지금, 별일 없이 여유롭게 시간을 보내던 중 몇 번 지웠다가 다시 졸업문집에 들어갈 글을 쓰고 있습니다. 평소에 글을 자주 쓰지도 않고 졸업문집이라는 것은 처음 쓰다 보니 어떻게 쓸지 어려워 많이 고민했습니다. 이렇게 오래 생각하고 고민한 끝에 저는 제 중학교 3학년생활의, 아니 중학교 3년 생활 중 가장 소중히 여기고 많은 시간을 보냈던 저희의 사회참여동아리에 대해 말해볼까 합니다. 1년 동안 이 동아리를 하면서 저는 많은 것을 배우고 느끼며 성장 할 수 있는 계기를 얻었습니다.

 저희동아리의 시작은 작년 말 저희 학교에서 동아리 시스템을 자율동아리로 바꾼 것이었습니다. 자율동아리는 만들어져있는 동아리에 들어가는 게 아니라 저희 학생들이 직접동아리를 만들어 부원을 모으고 운영하는 것인데 그때 2학년이었던 저는 '이제 중학교 3학년이 되니 이것저것 많이 해보자' 라는 생각에 동아리를 만들어 보기를 결심했습니다. 그런 후 무슨 동아리를 할지 찾아보던 중 우연히 사회참여동아리라는 것을 알게 되었고 지금 저희동아리의 시작점이 되었습니다. 이후 선생님께 동아리 신청서를 낼 때는 많이 기대되고 재밌을 것 같았으나 한편으로는 잘할 수 있을까 라는 걱정과 불안도 조금 들었습니다. 그렇게 신청서를 내고 부원들 모으고 며칠 뒤 동아리 첫 시간, 간단한 동아리의 소개를 한 후 저희가 앞으로 어떤 프로젝트들을 해볼지 정해보았습니다. 여러 가지 좋은 의견들이 나왔고 우리가 이런 일들을 함으로써 도움 받는 사람들이 생길 것이라는 것에 이미 뿌듯하고 자랑스러웠습니다. 그렇게 겨울방학이 되었고 새 학기부터 시작될 학교생활과 동아리 생활에 기대하는 중 첫 번째 난관인 코로나가 터졌습니다. 처음에는 사소하게 생각하였던 것이 점차 영향력이 커지더니 저희의 동아리뿐만 아니라 많은 사람들의 대부분 생활이 크게 영향을 받고 변해버렸습니다. 3월이 되자 결국 학교는 온라인으로 수업을 하게 되었고 당연히 동아리 또한 제대로 운영되기는 어려웠습니다. 이렇게 시작부터 일이 잘 안 풀리니 아쉽고 지치는 느낌이 들었습니다. 그러나 아쉬워만 하면 변하는 건 하나도 없었기에 학교에서 만나서 하지 못하는 만큼 더욱 열심히 회의하고 생각하면서 할 수 있는 일들을 해나갔고 이로 인해 등교수업을 시작을 때도 문제없이 동아리 활동을 자연스럽게 이어질 수 있게 되었습니다. 이렇게 저는 힘든 상황 속에서도 노력하면 어떤 일도 해결할 수 있다는 것을 느끼고 배울 수 있었습니다.

그렇게 온라인 수업을 이어가던 중 코로나가 조금 잠잠해질 무렵 등교수업이 시작되었습니다. 그때부터는 온라인수업 기간 동안 구상하였던 활동을 실행하였습니다. 물론 발로 뛰며 프로젝트들을 직접 하는 것은 단순히 앉아서 계획하는 것보다 어려웠기에 실수도 많았습니다. 여러 프로젝트를 하였지만 그중 저에게 많은 경험과 깨달음을 준 몇 개의 프로젝트를 말해보겠습니다.

첫 번째는 툰베리 프로젝트입니다. 동아리 첫날에 계획했던 프로젝트중 하나로 하수구 주위에 쓰레기를 줄이기 위해 페인트로 하수구 옆에 간단한 문구, 그림 등을 그리는 프로젝트였습니다. 툰베리가 저희와 나이가 비슷한 환경운동가이기도 하고 타임지에 선정되었을 만큼 대단하고 유명한 사람이기에 이렇게 프로젝트명을 선정하게 되었습니다. 온라인 수업기간동안에는 문구나 실행할 장소 등을 선정하였고 등교수업으로 바뀌고 며칠 뒤 학교수업이 끝난 후 몇몇이 모여 바로 작업을 실행하였습니다. 처음인 만큼 실수도 있었습니다. 사소한 부분을 챙기지 못해 처음부터 막히기도 했고 생각대로 페인트가 칠해지지 않아 '오늘 잘 끝낼 수 있을까?'라는 걱정도 들었습니다. 다행이 그 자리에서 새로운 방법을 찾은 덕분에 문제를 해결하고 성공적으로 프로젝트를 끝냈습니다. 단순한 문구와, 그림을 그린 것이었지만 첫 프로젝트인 만큼 해냈다는 사실에 큰 성취감을 느꼈고 이것으로 인해 조금이나마 쓰레기가 줄어들 수 있다는 생각에 자랑스러웠습니다.

두 번째는 rope프로젝트입니다. '우리도 유니세프 같은 단체처럼 기부아이템을 하나 만들어 보자'라는 생각에서 시작한 프로젝트인데요. 다른 프로젝트들과는 달리 기부금을 모으는 게 목적이었기 때문에 기부금이 잘 모일지에 대한 생각이 가장 크게 들었습니다. 그래서 기부아이템, 홍보방법, 기부행사 계획 등을 더욱 꼼꼼하게 계획하였습니다. 그렇게 정한 기부아이템인 팔찌의 디자인 과정 중에서 우리와 도움을 받는 사람을 연결해준다는 의미로 ROPE라는 문구를 넣었고 이것을 프로젝트 이름으로 정하게 되었습니다. 디자인을 끝내고 팔찌를 주문할 때에는 이렇게 큰돈을 저희의 결정으로 쓴다는 게 신기하기도 했고 부담스럽기도 하였습니다. 그렇게 조금의 걱정과 기대를 가지고 얼마 후에 달빛영화제라는 학교운동장에서 밤에 영화를 보는 행사를 하였는데 그때 첫 기부행사를 하였습니다. 몇몇의 선뜻 기부를 해주시겠다는 사람들을 보며 감사함과 뿌듯함을 느꼈습니다. 물론 처음이라 어렵기도하고 그렇게 많은 기부금을 모으진 못했으나 저희의 노력으로 기부금을 모았다는 것에 큰 자부심을 느낄 수 있었습니다.

세 번째는 가장 기억에 남았던 가로등 프로젝트 입니다. '동네에 어두운 곳이 많다' 는 의견에서 시작되었는데요. 저희가 가로등을 직접 설치할 수는 없었기에 태양광 LED등을 사서 달기로 하였습니다. 그 후 프로젝트의 세세한 것들을 구상하던 중 이동이 불편하신 장애인분들의 집 앞에 설치하자는 의견이 나왔고 계획하던 중 밀양시 장애인복지과 MOU체결을 하게 되었습니다. 단순한 의견에서 시작된 프로젝트가 꽤나 스케일이 커져서 놀라웠지만 이로 인해 프로젝트를 잘 진행할 수 있게 되었습니다. 그렇게 며칠 뒤 실행당일, 직접 설치장소를 찾아가 집 앞에 실리콘으로 LED를 설치하였습니다. 생각보다 실리콘이 잘 굳지 않아서 어렵기도 하고 붙인 후에도 잘 작동할지, 잘 붙어있을지 걱정이 들기도 했습니다. 그러나 얼마 후 밤에 집 앞을 촬영한 사진을 보았는데 저희가 붙인 것이 매우 잘 작동하고 있었습니다. 저희가 붙인 작은 불빛으로 인해 어두웠던 곳이 밝게 변한 것을 보니 기쁘고 뿌듯하였습니다.

다음은 프로젝트는 아니지만 프로젝트만큼 준비하고 노력하여 큰 결과를 얻은 청소년사회참여발표대회입니다. 등교개학으로 바뀌고 프로젝트를 진행하고 있을 때 사회참여발표대회를 알게 되었고 저희가 한 일들을 써서 냈었습니다. 그렇게 얼마 뒤 저희동아리가 예선을 통과해 본선에 진출했다는 것을 알게 되었습니다. 이런 대회에 나갈 경험은 흔하지 않고 저희가 한 일들이 누구에게 말해도 인정받을 일들이었기에 열심히 대회를 준비해나갔습니다. 발표하는 사람들은 집에 가서도 대본을 쓰고 외웠고 학교에 남아서 늦은 저녁까지 발표영상을 찍었습니다. 그렇게 대회당일 학교에서 줌으로 접속해 대회를 시작했습니다. 2번째 발표 저희동아리의 발표영상이 틀어졌고 끝난 후 질의응답 시간을 가졌습니다. 아쉽게도 이런 대회는 처음이라 긴장을 하고 떨려서 그런지 질문에 만족스럽지 못하게 대답하였습니다. 발표가 끝난 후에는 학교에서 점심을 먹고 다른 팀들의 영상을 보고 대회결과가 남은 1시간동안은 발표한 친구들, 선생님과 발표에 대한 걱정은 잊은 채 농구를 하였습니다. 그리고 1시간 후 결과, 저희는 11개의 팀 중에 4등이라는 결과를 얻었습니다. 처음나간 대회였지만 중고등학생 사이에서 이렇게 좋은 결과를 얻었다는 사실과 저희가 한 프로젝트로 인정받아 상을 받는 사실에 기쁘고 저희 스스로가 대견하였습니다.

물론 동아리가 항상 잘 운영되었던 것은 아니었습니다. 사회참여동아리의 특성상 학교 밖이나 방과 후에 이루어지는 일이 많았고 그만큼 생각지 못한 문제들이 생겼습니다. 대부분 이런 일들은 많이 해보지 않았기 때문에 모르는 것도 많았고, 단순히 돕고 싶다는 마음만으로는 잘 이뤄지지 못했습니다. 막상 가서 생각대로 잘 되지 않아 문제가 생기기도 하였고 동아리원들끼리 의견이 통하지 않아 회의가 잘 진행되지 않은 적도

있습니다. 또 제가 회장으로써 원활히 운영하지 못할 때도 많았고 올해 코로나라는 큰 벽에 부딪쳐서 계획한 것들이 취소되는 등 많은 어려움을 겪기도 하였습니다. 하지만 이러한 일들은 저희가 노력하고 시간이 지나며 해결되었고 오히려 그 과정 속에서 평소에 배울 수 없던 것을 배울 수 있는 기회를 얻고 동아리를 보다 더 잘 운영할 수 있게 되었습니다.

마지막은 저희동아리 담당선생님이자 저희반 담임 선생님이셨던 박창순선생님에 대해 감사한 것을 적어보려고 합니다. 앞서 말했듯이 저희동아리는 사회참여동아리 특성상 방과 후나 학교 밖에서 활동을 많이 하였습니다. 또 기부행사나 물품을 구매할 때에는 학생수준에서 큰돈을 쓸 때가 많았고 저를 포함해 많은 동아리원들이 이런 점에서 어려움을 겪었습니다. 뿐만 아니라 대부분 사회참여라는 활동을 처음하기 때문에 저희 눈으로는 볼 수 없었던 것도 아주 많았습니다. 이렇게 저희가 놓치고 실수한 것은 많았고 가끔은 그 실수가 크게 번질수도 있었는데요. 선생님께서는 저희에게 말하지 않고 이런 것들을 해결해 주시거나 저희가 놓친 부분을 항상 세심하게 체크해주셔서 사회참여동아리가 지금 이 모습이 되도록 많은 노력을 해주셨습니다.

이렇게 제가 동아리 생활을 하며 해본 것들과 배우고 느낀 것에 대해 말해보았습니다. 올해 동아리는 코로나로 인해 힘든 일도 많았지만 앞서 말한 자랑스럽게 여기는 일들을 하며 많은 것을 배울 수 있었습니다. 또 전국대회에서 상을 타거나 KBS뉴스에 나오는 등 평상시에 쉽게 할 수 없는 것들을 동아리를 하면서 할 수 있었습니다. 아쉽게도 이제는 중학교3학년

생활을 끝마치고 고등학생이 되어 세종중학교와 사회참여동아리를 나가게 되지만 저희가 주었던 도움, 저희가 도움을 주면서 배운 것들은 저에게서 떠나지 않아 앞으로의 저의 인생에 많은 도움을 줄 것이라고 믿습니다.

나와 우리 동네를 바꾼 사회적 참여 동아리

송동욱 (2020년도 총무부장)

안녕하세요 저는 세종중 사회적 참여 동아리 소속 송○욱이라고 합니다. 저는 박창순 선생님께서 새로 창조하신 동아리에 관심이 조금이나마 있어서 들어오게 되었습니다. 중학교 3년 동안 재미나 행복을 제일 많이 차지한 날은 동아리가 거의 차지하고 있다고 합니다. 오늘 저의 얘기를 듣고 사회적 참여 동아리가 무엇을 하는 건지 어떤 영향을 끼치는지 알아갔으면 좋겠다는 마음으로 이 얘기를 전달합니다. 저의가 무슨 활동을 했는지 아시나요? 저의는 이런 활동을 하였습니다. ROPE 팔찌 기부 프로젝트, 하수구 프로젝트, 장애인 빛반사 스티커, 태양광 가로등 프로젝트, 뉴스 활동, 세종세프 의 발표대회 저희는 이렇게 많은 활동들을 한 세종 세프에 대해 알아가 봅시다.

첫 번째 활동은 ROPE 팔찌 기부 프로젝트입니다. 혼자라서 살기 힘든 사람들을 위해 만들어진 기부 팔찌입니다. ROPE라는 끈이라는 의미로 혼자가 아닌 우리와 그들을 이어주는 희망의 줄이다. 만약 기부 팔찌를 잃어버리거나 끊기면 그 사람에게 불행이 찾아올 것입니다. 그래서 세종세프는 이 팔찌를 매일 매일 끼고 다닙니다. 희망을 달고서요. 기부 팔찌의 가격은 마케팅부를 통해 4,000원으로 합의를 보았으며 행운의 팔찌로 불리고 있습니다. 이 기부 팔찌를 끼고 다니니 안될 거 같은 것도 될 거 같은 자신감을 주는 거 같아서 좋았습니다.

두 번째 활동은 하수구 프로젝트입니다. 다들 아시다시피 홍수로 인해 우리의 삶의 도시가 잠기고 영향을 받는 거는 아실 겁니다. 왜 홍수가 나냐? 라고 할 수도 있는데 홍수는 하수구에 버려진 쓰레기들로 인해 하수구의 역할을 쓰지 못하고 홍수가 나는 것입니다. 만약 여러분들은 그 쓰레기들로 인해 여러분들의 자신과 자신의 가족들이 위협을 겪는다면 과연 쓰레기를 버릴까요? 그런 일들을 상상해보면 절대 버리지 않을 겁니다. 그래서 이것을 줄이기 위해 저희는 하수구 프로젝트를 실행하게 되었습니다. 실제로 이 프로그램으로 인해 하수구가 깨끗해진 것을 볼 수 있었습니다. 이렇게 깨끗한 게 유지가 된다면 행복한 삶을 살 수가 있을 거 같습니다. 이 행복한 삶을 상상해보니 너무 행복합니다. 저희는 이 프로젝트를 한 이유는 자연재해를 줄이기 위해서도 있지만, 학생들을 대상으로 쓰레기를 주로 어디에 버리는지 위험성은 아는지 설문지를 돌려 봤을 때 하수구에 많이 버린다는 학생이 많아 이 프로그램을 하게 되었습니다. 그 후 쓰레기들을 집에서 알아서 처리하니 너무 행복하고 편해졌습니다. 우리 함께 무단투기를 줄입시다.

세 번째 활동은 장애인 빛반사 스티커 프로젝트입니다. 장애인분들이 불편해할 수 있는 이 세상, 배려를 못 받는 세상 저희가 장애인들을 인지 할 수 있으며 배려하고 같이 편한 삶을 살 수 있게 한 장애인 빛반사 스티커입니다. 사람 대부분은 옆에 몸이 불편하시거나 장애인분들을 신경도 쓰지 않으며 다리가 불편하신 분들께 자리도 못 비켜 줍니다. 사람들은 장애인들을 투명인간 취급을 하며 신경 쓰는 것보다 더욱더 신경을 안 쓰며 차별을 합니다. 저희가 이 스티커를 만든 후 결과를 지켜보니 장애인 분들께서 편한 세상을 사는 것을 볼 수 있어서 행복해졌습니다.

네 번째 활동은 태양광 가로등 프로젝트입니다. 불빛이 없는 골목길, 어르신분들이나 아이들이 밤에 다니기 위험한 골목길에 태양광 가로등을 설치하여 골목길이나 집 앞 등 밝게 해드렸습니다. MOU 체결을 학교와 하였으며 어르신 분들께 양해를 구하고 설치를 진행하였습니다. 낮에는 태양 빛으로 인해 에너지를 저장한 후 어두운 밤에 빛을 비추는 원리입니다. 저희가 이것을 맨 처음에 설치하였을 때 안 켜지거나 작동되지 않으면 어떻게 될까? 라는 의문이 있었을 텐데 그 점은 저희가 때서 새 걸로 갈아 끼우며 대처를 하고 전 작동 된다고 하기 전까지는 잠을 제대로 못 청하고 많이 힘들었습니다. 그렇지만 작동됐다는 소식으로 너무 행복했었습니다.

다섯 번째 활동은 KBS 뉴스 활동입니다. 공중파인 KBS에서 우리의 UCC 안전 뉴스 영상과 우리가 했던 활동들을 보며 취재하고 싶다는 말로 우리 학교로 멀리 오셔서 우리의 활동들 밀양을 어떻게 바뀌었는지 그거에 대한 소감들을 취재하여 현장 속으로라는 프로그램에 5분이나 많은 시간으로 뉴스에 나갔습니다. 하수구 페인트로 하는 모습이나 가로등을 붙이는 모습, MOV 체결하는 모습을 찍은 그대로 나갔으며 주작은 없었음을 알립니다. 조금만 하게 시작한 동아리가 귀한 KBS에 이름을 올라가니 많이 놀랐고 인생의 영광이었습니다, 이 영광은 하나밖에 없는 추억으로 남았습니다,

여섯 번째 활동은 우리의 활동들을 토대로 한 발표대회입니다. 발표는 문제 인식-대안정책-공공정책-실행 기획과 결과 이 과

정으로 발표를 시작하였고 본선 전에 여러 번 연습하여 시간을 최소로 줄었더니 너무 행복했습니다. 발표 당시엔 개인 사정으로 인해 참석하진 못했지만, 저 대신 친구들이 노력하여 최선을 다해줬기에 친구들한테 고마웠고 기뻤습니다. 이만한 탓에 4등인 여성가족부 장관상이라는 최우수상을 아쉽게 받았지만, 이 일로 인해 우리의 꿈을 더욱더 성장을 시켰고 하나밖에 없는 돈으로 값을 치를 수 없는 추억이 되어 너무 좋았고 더욱더 활성화했으며 좋겠습니다. 우리 다 같이 문제가 될 것이 없고 행복한 세상을 만들어 봅시다.

세상에 참여하다!

신재현(2020년도 디자인팀장)

세상에는 많고 다양한 동아리들이 있습니다. 텃밭동아리, UCC 동아리 등등 이런 동아리들을 선택할 시기가 되면 모두들, 어떤 동아리를 선택할지 고민하기 마련입니다. 저도 역시 이런 고민을 하고 있었지만, 그 많고 많은 동아리 사이로 혼자 통통 튀는 매력을 가진 한 동아리를 보게 되었습니다. 바로 사회적 참여 동아리였습니다. 혹시 여러분들은 이 동아리의 하는 일, 목적 등을 알고계신가요? 저 역시도 사회적 참여 동아리에 막 가입 하였을 때는 자세히 알지는 못하였지만 호기심과 흥미에 이끌려 가입한 후, 담당 지도교사 선생님의 자세한 설명으로 이 사회적 참여 동아리에 대해서 자세히 알게 되었습니다.

하지만 2020년, 제가 2학년에서 3학년이 된 이후 질병(코로나19)의 영향으로 전에 계획해둔 그 계획들을 정상적으로 실행하기 힘들어졌습니다. 하지만 우리 주변의 문제들을 그저 그림처럼 그냥 무시할 수는 없었던 우리 사회적 참여 동아리 은 질병을 피해 예방 수칙을 잘 지키며 할 수 있을 작은 활동부터 하게 되었습니다. 그리고 그런 작은 활동들이 모여서 하나의 큰 활동들이 되었지요.

우리가 첫 번째로 한 대형 프로젝트는 하수구 쓰레기 프로젝트였습니다. 평소 하수구의 인식은 냄새나는 것, 매우 더러운 것이라는 사람들의 인식이 있었는데요, 저도 마찬가지였지만, 하지만 이런 냄새들은 사람들이 쓰레기를 버려서 생겨나고, 본

래의 이미지와 기능을 망친다는 것을 알게 되었습니다. 그래서 이러한 문제를 해결하기 위해, 쓰레기가 많은 하수구 옆에 쓰레기를 버리는 사람에게 양심의 가책을 느끼게 할 수 있게 '하수구는 쓰레기를 원하지 않아요'라는 문구를 써넣었습니다. 이런 활동은 그렇게 위대한 활동은 아닌 것 같았지만, 시간이 지날수록 무엇인가 바뀌고 좋아지는 모습을 보고 초등학교, 중학교 1, 2학년때는 느끼지 못했던 새로운 뿌듯함을 느끼게 되었습니다.

이 하수구 프로젝트는 또다른 프로젝트와 거의 비슷한 시기에 진행하게 되었는데요, 그 프로젝트는 바로 독거노인 기부 팔찌 프로젝트입니다. 이 프로젝트는 예전에 러프하게 계획해 두었던 프로젝트로, 원래는 반지로 할 예정이었지만, 질병의 여파로 접촉을 줄이고 예방을 잘 준수하기 위하여 포장이 편하고 접촉을 최대한 줄일 수 있는 반지로 바꾸게 되었습니다. 이 팔찌는 독거노인 분들을 위한 문구도 쓰였는데요, 이 문구는 제가 팀장인 디자인부에서 직접 생각하게 되었습니다. 처음에는 이 문구를 정하는 것이 생각보다 어려웠지만, 저희 팀원들의 활약으로 제가 봐도 놀라울 수준의 문구가 완성되었습니다. 이렇게 완성한 문구는 'ROPE'라는 문구로 독거노인 분들과 우리를 잇는다는 뜻을 가지고 있습니다. 이렇게 만든 팔찌는 우리가 직접 포장하였습니다. 하지만 슬프게도, 학교 밖에서는 판매할 수 없지만, 학교 안에서 하는 밤에 운동장에서 영화를 보는 축제인 달빛 영화제에서 판매도 하였고, 그 영화제에서도 영화를 보는 재미와 밤에 학교를 둘러보는 재미도 있었답니다. 어쩌면 우리의 미래일수도 있는 독거노인 분들을 위한 뜻깊은 프로젝트였습니다.

이 두 프로젝트는 한번하고 그만하는 일회성 프로젝트가 아닌 지속성 있는 프로젝트였습니다. 그리고 우리 사회적 참여 동아리는 또 다른 프로젝트를 계획하였는데요. 바로 119 안전 뉴스 프로젝트로 우리 학교 근처 횡단보도는 우회전 차량과 그 횡단보도를 건너는 학생과 주민분들은 매우 위험하다는 사실을 알고 안전 뉴스 UCC를 만들었습니다. 예림교에 위치한 우회전 도로는 횡단보도를 건너는 사람을 우회전 차량에선 볼 수 없고 뒤늦게 봐도 제동 또한 어려운 구조라 사고위험이 많은 매우 위험한 횡단보도입니다. 저 역시도 이 횡단보도를 건너다 우회전 차량에 부딪혀 사고가 날뻔한 적이 있어서 그 어떤 프로젝트보다 공감이 컸던 프로젝트입니다.

이런 횡단보도의 위험성을 알리기 위해 교내 캠페인을 진행하였고, 우리가 쓴 대본으로 우리가 직 아나운서, 기자, 시민 등을 직접 연기하여 UCC를 촬영하여 위험성을 널리 알렸습니다.

이 세 프로젝트가 일시적으로 끝나고 나서 우리가 이 세 프로젝트를 하는 모습은 기사화되어서 많은 사람이 알게 되었습니다. 제가 기사에서 열심히 일하는 모습은 저에게 나름 신기하며, 심장 뛰는 경험이었습니다. 그런데 우연히 이 기사를 보시고 KBS에서도 저희에게 연락을 주셨습니다. 공중파에 나가는 것은 처음이었고 엄청난 설렘와 긴장, 부담감이 저를 감쌌습니다.

이런 설렘과 긴장이 계속되고 결국 KBS 작가님과 약속한 날이 되었습니다. 우리는 이전까지의 떨림과 설렘, 긴장이 무색하게 뉴스에서 우리를 보여줄 거대한 프로젝트를 세웠고 그것은 바로 가로등 프로젝트와 장애인 전동휠체어 스티커 프로젝트를 계획하였습니다. 이렇게 세운 두 프로젝트와 앞서 했던 세 프로젝트를 뉴스에서 보여주게 되었습니다.

이렇게 뉴스에서는 많은 저희의 경험과 업적을 보여주었는데요. 이 중에서 가장 인상 깊었던 프로젝트는 바로 가로등 프로젝트와 장애인 전동휠체어 스티커 프로젝트입니다. 제가 살고있는 밀양은 부도심으로 노인분들은 많지만, 밤에 그분들을 밝혀줄 빛이 없어 피해를 보시는 노인분들이 많으셔서 평소에도 안타까운 마음도 들었는데 사회적 참여 동아리를 계기로 밤이 어두운 노인분 집 앞에 태양광 가로등을 설치하게 되어서 기쁘기도 했지만, 직접 보니 한편으로는 쓸쓸한 마음도 있었습니다. 그리고 저희 사회적 참여 동아리 부원들이 직접 장애인 복지관으로 가서 mou도 체결하였는데 밀양에 이러한 장소가 있는지도 몰랐다는 사실에 창피하기도 하였습니다.

뉴스 촬영 중에는 우리 선생님과 사회적 참여 동아리 부원들에게 개인 인터뷰도 하기도 하였는데 저 역시도 뉴스에 나갈 개인 인터뷰를 하기도 하였습니다. 긴장을 많이 하는 저는 매우 큰 부담과 긴장이었지만 나름 성공적으로 인터뷰와 모든 뉴스 촬영을 끝냈습니다.

뉴스 촬영이 마치고 몇주 뒤 실제 뉴스에서 나온 저의 모습을 보게 되었는데, 저의 이름이 '신재현'에서 '심재현'으로 바뀌어 나가서 많이 당황했던 기억도 있습니다.

이렇게 우리 사회적 참여 동아리는 제가 처음에 생각했던 활동보다 훨씬 많은 프로젝트를 계획하고 진행하며 조금씩 모인

경험들은 곧 눈덩이 굴리듯 점차 커지며 곧 엄청 거대한 경험을 한 우리를 볼 수 있었습니다. 이런 경험을 바탕으로 우리 사회적 참여 동아리는 전국 청소년 사회적 참여 대회에 참여하게 되었고 많고 어려운 경쟁률을 뚫고 예선을 통과하여 본선까지 출전하게 되었습니다. 예선보다 훨씬 까다롭고 힘든 본선에서는 원래는 연세대로 가기로 할 예정이었지만, 질병의 영향으로 각 지역에서 줌이라는 온라인 영상통화 회의 어플을 이용하여서 진행하게 되었습니다. 이 질병만 없었다면 직접 1박 2일로 서울 연세대로 직접 가서 연세대 학식도 먹어볼 수 있는 좋은 경험을 할 수도 있었지만 그렇지 못해서 매우 매우 크게 아쉬웠습니다. 이런 아쉬운 마음도 있었지만, 또 한편으로는 가장 편안한 공간에서 비교적 부담 없이 대회를 진행할 수 있고 무대 위로 올라가 발표를 실수하는 것을 걱정할 필요가 없다는 사실의 다행이라 생각하였습니다.

줌에서 발표 대신 사용할 발표 영상에서 쓰기 위한 발표 판넬도 우리가 직접 만들었고 이 판넬을 이용하여 발표 영상도 찍었습니다. 비록 이 영상을 찍는 과정이 힘들고 제한 시간인 13분을 지키는 것이 힘들었지만 많은 시도들을 통해 결국 성공적으로 13분을 안 넘기며 우리의 노력과 경험을 설명하는 영상을 완성하게 되었습니다.

대회 당일 우리의 발표는 2번째 순서여서 더더욱 긴장되고 부담되었지만 모든 팀 중 상위권에 속하는 우리 세종중 사회적 참여 동아리의 발표 영상을 보여주고 질의응답 시간이 되었습니다. 하지만 다들 긴장, 부담되고 1번째 발표팀인 '비긴어게인' 팀의 공격적인 질문 때문에 잘했지만, 발표 영상보다는 완벽하지 못한 조금은 아쉬운 질의응답이 되었습니다.

조금은 아쉬웠던 발표 시간과 다른 팀들의 발표 시간이 지나고 대망의 결과 발표 시간 우리 사회적 참여 동아리는 여성가족부 장관상으로 최우수상을 받게 되었습니다. 비록 질의응답이 조금은 아쉬웠지만, 발표 영상도 그렇고 전반적으로 우리 팀원들이 잘해줬기 때문에, 이렇게 좋은 결과가 나온 것 같습니다.

이렇게 대회까지 끝났지만, 우리 사회적 참여 동아리는 끝난 것이 아니라 아직 못다한 다른 프로젝트들도 성공적으로 끝내겠습니다. 그리고 이러한 선배들의 노력과 정신을 계승하여 우리 후배들도 이런 저희와 같은 사회에 참여하여 세상을 바꾸어 나가는 좋은 경험을 하였으면 좋겠습니다.

이 동아리를 통해서 저는 우리 청소년들도 이런 참여를 통해서 많은 경험을 할 수 있고 세상을 조금씩 바꿀 수 있다는 교훈을 얻게 되었습니다.

끝으로 이런 좋은 동아리를 저희에게 알려주시고, 또 필요할때는 도와주시며, 저희들에게 이런 프로젝트를 연결시켜 주신, 빛과 같으신 우리 박창순 선생님께 감사 인사를 드리겠습니다. 감사합니다.

나의 성장, 그리고 내가 변화시킨 우리 동네

최○석 (2022년도 총무부장)

안녕하세요. 저는 세종중학교 3학년인 최민석입니다, 저는 2학년이 끝나갈 무렵에 어느 동아리에 갈지 고민하던 중에 선생님의 권유로 사회참여 동아리에 들어가게 되었습니다. 처음에는 실수할 거 같아서 많은 걱정을 했었습니다. 사회참여 동아리를 하면서 많은 것도 배우고 자신감도 조금씩 생기기 시작했습니다. 그 결과, 들어가기 전에는 많이 내성적이었지만 하다 보니 나 자신이 달라졌다는 것을 느끼게 되었습니다. 그래서인지 지금은 사회참여 동아리에 들어간 것을 후회하지는 않습니다. 저희는 가로수에 설치된 불법 현수막을 환경을 위해서 동아리원의 도움으로 저희 지역에 있는 현수막을 수거하여 재활용을 하였습니다. 현수막이 소각되어진다면 환경오염이 되기 때문에 저희 동아리에서 직접 환경을 보호하기 위해서 재활용을 했습니다. 별로 크진 않지만 기분이 좋았고 뿌듯함이 들었습니다. 다음으로 저희가 한 활동은 일회용품 빨대를 줄이기 위해서 시립 도서관 근처에서 설문조사도 하고 계속해서 사용할 수 있는 스테인리스 빨대를 나누어 주었고 천연 수세미를 학교 안에서는 급식실, 교무실, 행정실에 계시는 분들에게 나눠주고 학교 밖에서는 식당이나 카페에서 사용할 수 있도록 상인분들에게 나누어주시고 설문조사도 하여서 조금이라도 환경에 덜 오염될 수 있게 한 것 같아서 마음이 편안해졌습니다. 그리고 이 활동을 하면서 밖에서 설문조사를 할 때, 환경에 사람들이 관심이 없었던 것 같아서 이번 기회에 많은 사람들에게 관심을 가지게 한 계기가 된 것 같아서 기분이 좋았습니다. 그리고 산불이 나서 미세먼지를 측정하기위해서 미세먼지 측정기를 동아리에서 구입하여 모둠을 나누어서 학교 근처에 가봐서 직접 측정도 해보고 같이 해보니 신기하기도 하였고 처음 해보다보니 제대로 했는지도 잘 몰랐습니다. 그래도 이 활동은 뜻깊었던 것 같습니다. 그리고 소각되어지는 쓰레기를 없애기위해서 The 분리수거함을 학교 근처에 있는 마을에 이장님과 이야기하여서 The 분리수거함을 설치하였습니다. The 분리수거함을 설치해보니깐 쓰레기가 함부로 버려지거나 불로 태워버리는 등 환경 문제를 유발할 수 있기때문에 조금이라도 환경 문제를 일으키지않게 한 것 같아서 내심 뿌듯하기도 했습니다. 그 마을에 가는 길에 힘들고 하기 싫었지만 막상 가서 해보니깐 재미있었고 잘한 것 같다는 생각이 들 정도였습니다.

그리고 사회참여동아리에서 6명과 함께 대회에 나가였습니다. 하지만 코로나때문에 온라인으로 찍어놓은 영상도 보여주고 한 마디와 질의응답도 하였다. 해볼 만해 보이지만 생각보다 많이 힘들었습니다.

영상을 찍어야하는데 원테이크로 10분짜리 영상을 찍어야한다는 부담감이 있었습니다. 내가 한 번 실수하면은 모두가 다시 해야하기때문에 긴장이 많이 되었습니다. 여러 번의 시도 끝에 성공하였습니다. 너무 기뻤습니다. 내용도 다시 보며 잘 해보려고 노력해보았습니다. 토요일에 학교에 와서 학교 다락방에 선생님과 만나서 대회 준비를 조금하고 온라인으로 들어가서 다른 팀들의 발표를 먼저 보았습니다. 다른 팀들이 너무 잘하길래 우리가 제일 못할까봐 걱정이 되었습니다. 쉬는 시간에 긴장을 풀고있었습니다.

결국 우리 차례가 왔습니다. 먼저 10분짜리 영상을 먼저 보고 각자 한 마디씩을 해야했습니다. 잘 가다가 한 친구가 긴장해서 그런지 말을 하다가 말아버렸다. 그래서 모두가 쳐다보았습니다. 그래도 나머지 사람들은 잘 해나갔습니다. 이제 발표가 끝나기까지는 마지막 질의응답이 남아있었습니다. 누구한테 질문할지도 너무 긴장이 되었고 전 날에도 예상 질문을 보고 한 번 대답해보았습니다. 그래도 실전에서는 다르기때문에 열심히 해보았습니다. 그리고 대회에서 질의응답을 하는데 다른 친구가 대답을 했지만 마이크에서 소리 나지않아서 대답을 잘하지 못했습니다. 그래도 잘 마무리하고 다음 질의응답을 하였는데 그 질문도 제대로 답을 하지못했습니다. 다른 팀에 비하면 최악 그 자체였던 것 같았습니다.

모든 팀의 발표가 끝이 났습니다. 분위기는 좋지않았습니다. 조금 기다려야지 상을 발표하니깐 조금 놀고있었습니다. 드디어 어떤 상을 받는지 발표하고 있었는데 숨을 죽이며 보았습니다. 하지만 아무리 기다려도 우리 동아리 팀을 부르지않았습니다. 상을 못 받을까봐 모두가 패닉에 빠져버렸다. 다행히도 우리 동아리 팀은 행정안전부장관상을 받았습니다. 예상치 못한 결과에 모두가 행복해했습니다.

너무 기분이 좋았고 다른 동아리원들과 선생님께 고맙다는 생각이 들었습니다. 나는 한 게 없었던 것 같았는데 좋은 결과를 얻은 것 같아서 미안하기도 한 것 같았습니다. 그리고 학교 동아리 발표를 할 때, 이때까지 한 활동들을 볼 수 있고 VR을 체험해보거나 마스크 끈을 이용하여 예쁜 것도 만들 수 있었습니다. 직접 해보니깐 힘들기도 했지만 그래도 힘이 났던 거 같습니다. 사회참여 동아리에 간 것이 너무 좋은 것 같았습니다. 3학년에는 많은 경험을 한 것 같아서 너무 좋습니다. 이번 일들을 계기로 내가 많이 변한 것 같아서 사회참여 동아리 선생님이자 담임 선생님께 너무 감사하다는 말도 해드리고 싶습니다.

나의 사회참여일기장

조재민 (2022년도동아리 회장)

안녕하세요. 저는 세종중학교 사회참여 동아리에 소속되어있는 조재민이라고 합니다. 이번에 중3을 맞이하고 마지막 동아리를 멋지게 장식하고자 많은 활동을 하는 사회참여동아리에 들어왔습니다. 처음에는 현수막을 주제로 하는 활동을 하였는데요 이 활동에서 현수막을 구하는 역할을 하였는데요 비록 연락을 현수막을 철거하는 분한테 연락을 하는 등 연락을 하는 부분에서 많은 어려움이 있었습니다. 하지만 이 과정에서 부모님과도 많은 대화를 해보고 결국은 현수막을 구할 수 있었습니다. 현수막을 구했다는 뿌듯함이 있었고 모르시는 분들 과도 연락을 해보며 소심했던 저의 감정을 좀 더 강하게 해주었던 것 같았습니다.

그리고 현수막에 관한 설문조사를 도서관 앞에서 실행하였는데요 이 과정에서 설문조사를 요청했지만 거절도 당해보면서 저의 감정이 더 탄탄해졌던 것 같습니다.

다음 활동으로는 우유 팩을 모으는 활동을 하였는데요 외부 강사분들이 와서 설명도 해주시고 저희학교 학생과 선생님들과 함께 우유 팩을 모아 휴지를 바꾸기도 하였습니다. 저는 평소 우유 팩을 그냥 쓰레기로만 생각을 해왔는데요 하지만 우유 팩이 휴지로 변할수도 있구나 라는 생각도 하였습니다

천연 수세미를 나누어주기도 하였는데요 식당에 들어가 설문조사를 하고 천연 수세미를 나누어 주었습니다. 하지만 식당을 위주로 설문조사를 하기때문에 손님들이 있어 설문조사를 하기에는 어려움이 있어 보였습니다. 그러나 많은 분들이 감사하

게도 설문조사에 응해 주셨고 몇몇 분들께서는 천연 수세미를 주어서 감사하다며 먹을 것을 챙겨주시기도 하였습니다.

저는 이 활동에서 뿌듯함뿐만 아니라 시민분들이 많이 설문조사에 응해주셔서 감사함도 더불어 느끼는 활동이였던 것 같습니다

또 다른 활동은 최근 밀양에 산불이 나며 연기가 온 밀양을 덮어 버렸습니다. 저희는 그래서 밀양의 미세먼지 농도를 측정하기도 하였습니다. 저는 태어나서 언제 직접 미세먼지를 측정 하겠어라는 생각을 하며 많은 활동을 하는 사회참여동아리에 들어오기를 잘했다고 생각하였습니다. 그리고 저희는 분리수거 차량이 잘 오지 않는 곳에다가 THE 분리수거함이라는 저희가 만든 분리수거함을 설치하기도 하였습니다. 설치를 할 때는 이 분리수거함이 계속 지속가능할까라는 생각이 들기도 하였지만 막상 설치를 하고 나니 뿌듯하기도 했었습니다.

다른 활동으로는 가로수 지도 만들기 프로젝트를 시도하기도 했었습니다. 그리고 가로수에게 이름을 지어주고 이름표도 직접 달아주는 등 나무에 관한 활동을 많이 하기도 했습니다.

저희 사회참여 동아리에서는 이러한 활동을 토대로 청소년 사회참여 대회에 참여하기도 하였는데요 대회를 참여 하기 위해 학교를 마치고 남아서 동영사을 찍기도 하였습니다 저는 동영상을 찍는 것에 부끄러워 연습때는 목소리가 잘 나오지도 않았고 목소리는 계속 기어들어가기만 했었습니다. 하지만 저는 동아리 회장이였기 때문에 동아리에 피해가 가면 안되겠다라는 마음으로 최대한 목소리를 끌어 올리면서 동영상을 찍어 나갔습니다 다행히도 우여곡절 끝에동영상을 완성하였는데요

하나 안타까운 점은 밖에 운동장에서 목소리가 들렸다는 것입니다. 그리고 저는 실수를 할까봐도 긴장이 되기도 하였는데요 다행히 긴장은 했지만 무사히 저의 역할을 수행해서 다행이였던 것 같습니다 드디어 찾아온 대횟날 아침 저는 아직도 긴장감을 잊을수 없었습니다

저는 그날 긴장을 엄청 하였는데요. 다행히도 저희의 발표 순서는 6번째여서 마음을 진정 시킬수있는 시간이 있었습니다. 마침내 저희차례가 왔고 동영상을 틀어 주는 시간에도 혹시 모를 사태를 대비해서 맹연습을 했습니다. 역시나 저는 대회 당시 여러 질문을 받기도 하였는데요. 저는 긴장이 돼서 머리가 새하얗게 변해 버렸지만 당황하지 않은 척 질문을 계속해서 답변을 이어 나가고 있었습니다. 그런데 저는 질문 답을 다하였는데 심사위원님들께서는 아무 반응이 없어서 놀랐는데요. 사실 저는 마이크가 꺼진 상태로 질문 답변을 계속하고 있었던거 였습니다. 그럼에도 저는 빠르게 켜서 대답을 하긴 하였지만 이미 너무 당황해 버려 답변을 제대로 하지 못했던 것 같습니다.

저는 불안 하기도하고 나 때문에 낮은 순위의 상을 타나 걱정하기도 하였습니다. 시상식을 할 때에는 조마조마 사회참여 동아리 이름이 불리기를 기다리고 있었는데요.별 기대감없이 동아리 이름이 불리기를 기다리고있었는데 계속이름이 불리지 않자 안좋은 생각이 나기도 하였는데요. 혹시 상을 않받는 팀도 있나? 설마 그게 우리는 아니겠지? 라는 생각을했었는데요. 선생님까지도 상을 받지 못하나? 하며 별기대감 없이 다음상 시상식을 기다리고 있었는데 갑자기 무려 3등상인 행정안전부

장관상에 저희 동아리인 사회참여 동아리가 시상을 하게 되었다는 소리가 들리자 저는 그세서야 안도감이 들었었습니다. 다행히도 심사위원분들께서 저희 동아리의 활동내용이 괜찮다고 생각을 하였는지 행정안전부 장관상이라는 큰상을 주셨던 것 같습니다.

기쁨과 안도감이 동시에 들기도 하였고 사회참여 동아리에 들어와서 뿌듯게 하루하루를 보내는 구나라는 생각이 들었습니다. 대회가 끝나고 이제는 간단하게 나갈 수 있는 아동 교통안전 아이디어 공모전에 나가기로 하였는데요 동아리회원 각자가 아이디어를 내서 좋은 아이디어 하나로 공모전에 나가는 방식으로 진행을 할려고 했었습니다. 그래서 저도 지하 주차장에 격주 주차를 하지 않도록 아파트 지하 주차장 규모 법을 바꾸자라는 아이디어와 우회전 신호등을 만들자라는 아이디어를 제시했지만 아쉽게도 다른 아이디어가 선정되어 그아이디어로 공모전에 나가기로 하였습니다

저의 아이디어가 선정되지는 않았지만, 아이디어를 내기 위하여 생각을 하는 과정에서 많은 것을 배우기도 하였습니다. 그리고 저희 동아리에서 제시한 아이디어가 뽑히게 되어 서울을 가야하는데요. 이게 저희 사회참여동아리의 마지막이 될 것 같은 느낌이 있어 이번 대회만큼은 실수없이 할수있도록 열심히 준비하여 유종의 미를 잘 장식을 할 것입니다.

이제는 동아리 활동시간이 얼마 남지 않았는데요. 그래도 한달 정도의 시간이 남았습니다. 저는 이 남은 시간동안 사회참여동아리에서 열심히하며 남은 시간을 헛되지않고 뿌듯하게 보내기위해 노력할 것입니다.

그리고 저는 사회참여동아리에 들어왔던 것을 뿌듯하게 생각하며 제가 앞으로 살아가는데 도움을 주고 엄청난 추억이 될 것 같습니다. 그리고 이 사회참여동아리를 만들어주신 박창순 선생님께도 감사한 마음을 전합니다. 비록 동아리가 작년에 비해 부족하다는 주위의 시선이 많은 것 같으나, 선생님께서 열심히 해주셔서 이러한 좋은 결과가 있지 않았나 싶습니다. 그러니 남은 기간도 선생님과 함께 사회참여 활동을 잘 마무리하여 명예롭게 졸업할 것입니다. 오늘의 일기 끝!

특별한 경험을 선사해주는 사회참여 동아리

윤도한(2022년도 기획부)

안녕하십니까. 저는 세종중학교 사회참여 동아리에 소속되어 있는 1학년 윤도한 이라고 합니다. 제가 학교에 처음와서 어떤 동아리에 들어갈지 고민하던 찰나 저에게 박○순 선생님께서 사회참여 동아리에 들어오라고 말씀을 하셨었지만 그때는 마음이 없었습니다. 하지만 사회참여 동아리가 어떤 활동들을 했는지 듣고 또 활동하는 영상들을 보니 마음이 바뀌었습니다. '아, 들어가야겠다.' 동아리를 정하는 날 경쟁률이 있어서 꾸역꾸역 동아리에 겨우 들어갔습니다.

첫날에는 그냥 컴퓨터만 보면서 계획을 세워서 '과연 내가 이 동아리에 들어오는 선택이 맞는 선택이었을까....' 라는 생각이 들었지만 활동을 시작하면서 내 생각이 틀렸다는 것을 깨달았습니다.

활동들을 할 때, 그리고 활동이 끝났을 때 얻는 뿌듯함, 행복 등 긍정적인 감적들 덕에 저는 이 동아리에 충분히 만족해갔습니다. 그리고 여러 대회를 나가면서 경험을 쌓는 것도 저에게는 조금은 과분한 것 같다는 생각이 들 정도로 도움이 되었습니다.

특히 일회용품 사용을 줄이기 위한, 재사용이 가능한 스테인레스 빨대를 나누는 활동은 설문조사 종이를 나누고 사은품으로 재사용 빨대를 나눠주는 것이여서 처음 보는 사람에게 말을 거는 방법도 알게 되고 환경의 중요성도 알 수 있어서 가장 유익했던 것 같다.

그리고 활동 말고도 대회를 통해 많은 것을 배웠다. 사회참

여 발표대회에 나가기 위해서 문제인식-대안정책-공공정책-실행방안을 소개하는 판넬을 제작하는 것과 활동 소개 영상을 찍는, 그 과정들 속에서 팀워크와 발표력을 키울 수 있어서 좋았다.(게다가 간식 등 먹을 것들을 주는 복지도 잘 되어있는 것 같다ㅋㅋ)

또한 여러 가지 활동들을 하기 전 계획을 짜는 활동에서도 점차 적응해가며 내 의견을 냈을 때 사람들이 주목하게 만드는 법, 의견을 설득력 있게 말하는 법, 등을 배웠다. 내가 생각하기에는 이 동아리는 대부분의 활동이, 아니 모든 활동이 유익한 활동들이었다.

그리고 동아리 지도 교사 박O순 선생님께서 격려까지 해주셔서 도움이 되었다. 선생님은 당근과 채찍을 자유롭게 사용하실 줄 아는 분이시고 언제 사용해야하는지도 알고 계셔서 큰 도움이 된다. 게다가 학생의 눈높이에 맞춰주실 줄 아셔서 자유로운 분위기에서 동아리 활동을 할 수 있었다.

하지만 높은 퀄리티를 추구하셔서 연습을 해오라고 하신 부분은 많이 연습해야 했다. 그렇다고 연습을 많이 하는게 안 좋은 것이 아니라는 것은 누구나 알고 있다. 높은 퀄리티를 만들기 위해 스스로 연습하고, 결과물을 만드니까 결과물뿐만 아니라 나의 실력 또한 높은 퀄리티가 되어갔다. 물론 아직까지는 그것들을 사용할 일들이 조금 적긴 하지만, 언젠간 소중하게 쓰일 날이 올거라고 단단히 믿고 선생님께서 연습해오라고 하신대로 하고 있다.

이렇게 동아리의 장점도 충분히 많고 선생님의 열정은 출중하니 나는 이보다 훌륭하고 재밌는 동아리는 없다고 생각했다.

나는 이 정도로 생각할 만큼 만족을 하였고 위와 같은 활동들은 한번이 아니라 계속해서 지속적으로 해보았으면 좋겠다고 생각하고 있다.

특히 사회참여 발표대회를 포함한 여러 방면에서 좋은 성적을 거두어서 상장도 받아 기분도 좋았다. 심지어는 이제는 나에게도 '내 스스로 한번 환경을 보호하는 활동들을 조금 더 늘려볼까? 범위를 키우면 사람들이 이러한 내 행동들을 보고 사람들의 행동도 바뀌지 않을까?' 라는 생각까지 하게 되었다. 그래서 지금 나 혼자서 기후위기를 막을 수 있는 환경보호를 실천할 계획을 세우고 있다. 계획을 세워놓으면 그 계획을 보고 나 스스로 기후위기를 막는 방패가 되어 지구지키미가 될 수 있겠다는 생각을 가지고 세웠다.

여러분들도 이글을 읽고 있으시다면 한번이 아니라 꾸준히 환경보호를 실천할 계획 한가지쯤은 만들어보시는 것은 어떨까요?

환경 난중일기

김동하 (2022년도 총무부)

사회참여동아리에 김동하입니다. 저희가 이때까지 한 환경 지키기 프로젝트를 소개시켜드리고자 합니다. 그럼 바로 시작하도록 하겠습니다.

첫 번째 프로젝트를 소개합니다. 불법소각을 예방하기 위한 활도잉었습니다. 도심에서 떨어진 멍에실이라는 마을을 찾아가서 불법 소각이 왜 일어나는지 쓰레기는 왜 이렇게 많은지 인터뷰하고 알아보았습니다. 그러고보니 요즘 아파트 단지에는 많은 분리수거장이 계속 찾아도 없었습니다. 그래서 불법 소각을 예방하고 쓰레기를 줄이기 위해서는 분리수거함을 설치해야겠다고 마음을 먹었습니다. 그리고 설치할 곳을 찾고 멍에실 마을 이장님을 찾으러 나섰는데 어떻게 해야 멍에실 이장님을 만날 수 있는지 몰라서 그냥 학교로 다시 돌아오기도 했습니다. 그리고 이 이야기를 선생님께 말씀드렸고, 그 다음주 동아리 시간에 선생님과 같이 멍에실을 가서 분리수거함을 설치하고 왔습니다. 멍에실마을 분리거함이 없어 불편을 겪고 있으시던 주민분들이 더 편리했졌으면 좋겠습니다.

두 번째 프로젝트를 소개합니다. 나무를 보호하기위해서 나무에 이름을 지어주었다. 그전에 선생님께서 토스트를 주문시킨게 있어 그걸 먹고 시작하였다. 토스트를 먹고 하니 배가 든든해 세이브더 트리 프로젝트를 하기 더 수월했다. 일단 이름을 지어주기 전 이름표와 끈을 받고 이름표에 나무의 이름을 지어서 적고 끈으로 연결해서 나무에 메달았다. 내가 나무를 보호할수있어서 기분이 신기하고 좋았다.

세 번째 프로젝트를 소개합니다. 밀양에 있는 시민들을 상대로 환경에 대한 설문조사를 했다. 일단 선생님께 알루미늄 빨대를 받고 설문조사지도 받았다. 그리고 밀양에 사람들이 많은 곳이 밀양도서관 근처에 가서 지나다니는 행인분들에게 설문조사 가능하시나요? 라고 묻고 설문조사를 다 하신 분에게는 알루미늄 빨대를 드리면서 빨대에 대한 간단한 설명후 빨대를 드리고 보내드렸다. 근데 조금 힘들었던 부분이 있는게 우리가 이상한 사람인줄 알고 설문조사를 하지않으려는 사람도 많이 있었다. 그래도 환경을 지킬수있어서 좋았다.

네 번째 프로젝트를 소개합니다. 밀양에 산불이 나고 얼마지나지 않아서 우리 사회참여동아리가 밀양에 미세먼지의 정도를 측정하러 갔다. 그리고 날씨가 너무 더워 마트에 들려서 아이스크림을 박창순선생님께서 사주시고 맛있게 먹고 더위를 날려서 기분좋은 마음으로 미세먼지를 측정할수있었다. 측정하고 측정기를 보니 산불이 미세먼지에 영향을 정말많이 끼치는지 처음알아 정말 충격적이었다.

다섯 번째 프로젝트를 소개합니다.

] 친환경 수세미를 선생님께 받아 가곡동에 있는 가게에 들어가서 친환경 수세미인데 친환경 수세미를 쓰시겠어요? 라고 말하고 쓰신다고 말씀하시면 친환경수세미에 대한 설명 후 친환경수세미를 건네드렸다. 근데 수세미가 너무 많아서 우리가 갔던 가게에 2~3개을 드렸다. 근데 수세미가 중국산이라서 조금 좋지않았지만 그래도 환경을 지킬수있다니 하였다.

여섯 번째 프로젝트: 환경을 지킬려고 1회용 비닐 바구니를

쓰지않고 우리가 직접드리는 바구니를 사서 우리가 직접만든 박스안에다가 넣어서 우리학교 후문에 놔두었다. 비닐이 땅에 버려져서 분해되는데에만 500년이 걸리는데 지속적으로 쓸 수 있는 바구니를 쓰면 환경도 지킬 수 있고 쓰레[기 배출량도 줄일 수 있다. 사람들이 1회용 비닐 바구니를 쓰지않고 지속적으로 쓸 수 있는 바구니를 우리나라 사람들이 다 썼으면 좋겠다.

2022년 11월 15일 화요일 우리의 프로젝트는 여기서 끝마칩니다.

내 최고의 선택

박현민 (2022년도 디자인부)

안녕하세요. 저는 사회참여 동아리 sjcef의 1학년 2반 11번 박현민입니다. 일단 제가 사회참여동아리에 들어온 이유는 사회참여동아리에서 하는 활동이 사회에 문제점에 대해 탐구하고 또 그 문제점을 보완하는 동아리라고 들었는데 제가 직접 문제점을 찾고 그 문제점을 보완한다면 분명 저에게 도움이 될것이라 생각 하였고 평소에도 지구온난화 해양생태계 파괴 등등 환경에 관심을 많이 가지고 있었고 지구의 환경 상태가 점점 안좋아 지고 있다는 것을 알고 있었기에 이 해양 생태계 파괴 지구 온난화를 보완하고자 하는 마음가짐을 가지고 사회참여 동아리에 들어오게 되었습니다

그리고 저희 반에서 사회참여동아리 들어간 것이 저 뿐라서 동아리에 들어가기 전 제가 소심한 편이라 적응을 잘할 수 있을지 또 사회참여동아리에 들어간 것을 후회하진 않을지 걱정을 아주 많이 했었고 동아리를 선택하기 전으로 돌아가고 싶은 마음과 동아리실로 들어가기 싫은 마음도 많이 들었습니다. 그리고 동아리실에 처음 들어갈 때 떨리는 마음으로 들어갔지만 제가 생각했던 것처럼 이상하거나 다음부터 들어오기 싫은 동아리는 아니었지만 그래도 친한친구 친한사람이 없어 적응 하기 매우 어려웠지만 사회참여 동아리에 계신 분들이 제가 적응할수있게 많이 도와주셔서 아직 다 적응 하진 못했지만 그래도 많은 도움이 되었습니다.

사회참여 동아리가 봉사활동을 하여서 매우 재미없고 매우 힘들 것 이라고 생각 했지만 봉사활동을 하면서 재미없다는

생각 보다는 봉사활동을 하고 사람들이 편리해질수 있다는 생각을 하면서 뿌듯함을 느껴서 재미없다는 생각이 거의 나지 않았습니다

가끔식 정말 힘들고 재미없을때도 있엇지만 사람들에게 많은 도움이 될 수 있고 이 기회로 많은 것을 배울수 있다고 생각하여서 힘들고 재미없다는 부정적인 생각을 많은 사람들이 알아주진 않을수 있지만 그래도 이런 활동으로 사람들이 편리해질수 있다는 긍정적인 생각으로 바꿔서 제가 많이 한건 없는 것 같지만 힘들다고 쉬지않고 좋은 마음가짐을 가지고 해서 좋은 경험이 되었고 또 봉사가 무엇인지 지구온난화 해양생태계 파괴등 많이 배울수 있어서 정말 재미있었습니다

제가 사회참여 동아리 활동을 하면서 가장 기억에 남는 활동은 빨대어택 이나 천연수세미를 나누주면서 왜 일회용 빨대나 수세미가 좋지 않은지 알려주는 활동입니다

이런 활동들이 기억에 남는 이유는 환경오염,해양생태계파괴, 지구온난화등 환경에 대해 많은 것을 알수 있는 기회였고 또 일회용 빨대가 얼마나 지구환경에 영향을 끼치는지 그런 것을 사람들에게 알려주면서 저도 그런 것을 많이 배울수 있었기 때문에 기억에 많이 남았습니다

솔직히 처음에는 동아리 활동을 나한테 도움이 되지도 않으니 열심히 하지 않았지만 이런 활동을 하고 주변 사람들게 따뜻한 응원을 받아서 나는 아무것도 하는 것이 없는데 이런 응원과 따뜻한 말을 들어도 되는것인가 라고 생각해서 그때부터는 정말 열심히하고 나에게 도움이 되지 않는다고 생각 하지 않고 작은 힘이지만 열심히하려고 하였습니다

그리고 처음 동아리를 선택할 때 사회참여동아리를 선택한 것을 내 인생 최대의 실수라고 생각 하였지만 지금 생각으로는 그때 이 사회참여 동아리를 선택한 것이 제가 살면서 한 선택중 가장 선택을 잘 하였다고 생각 합니다

다른사람이 보기에는 초라해 보일지도 모르지만 자신만 생각하지 않고 작고 사람들이 알아주진 않지만 다른사람을 위해서 아주 열심히 일하고 정말 많은 뜻을 담고있고 이런 활동들로 나도 마음가짐을 기르고 많은 것을 배우고 다른 사람들에게도 도움이 많이 되는 것이 자신에게 도움이 되지않지만 열심히하는 사회참여 동아리가 멋있고 많은 뜻을 품고 있는 동아리라는 것을 많은 사람들에게 알려주고 싶습니다.

사회참여동아리를 하면서...

이현준 (2022년도 기획부)

1힉년 때 사회참여동아리가 많은 활동을 하는 것을 보고 호기심이 생겨서 2학년 때 사회참여동아리에 들어오게 되었습니다. 2학년때 사회참여동아리에 들어와서 한 활동에 대해서 설명해드리겠습니다.

의외로 밀양에 살 때 아무런 문제점이 없는줄 알았는데 이 동아리에서 문제점을 찾아서 저희가 해결하는 것이 되게 뜻깊었습니다. 저희가 한 첫 번째 활동은 세종중학교 앞에 있는 가로수에 이름을 지어주고 나무가 아프다면 연락해달라는 글을 써서 나무에 걸고왔습니다. 항상 가로수에 현수막이 걸려있어서 당연한 것인줄 알았지만 그게 환경에 영향이 미칠 것이라고는 생각하지 못했습니다. 하지만 아직 아무도 연락을 하지 않아서 짝 섭섭했습니다.

그 다음으로 한 활동은 밀양시민들과 세종중학교 학생들, 선생님들에게 우리 밀양에 환경지식에 대한 설문조사를 실시했습니다. 밀양 시립도서관 앞에 가서 지나가는 사람들에게 설문조사를 해달라고 요청하였습니다. 그리고 설문조사를 다 하시면 마실 것을 마실 때 일회용이 아닌 계속 쓸 수 있는 스테인리스로 만든 빨대를 드렸습니다. 사람들에게 설문조사를 진행하고 빨대를 나눠드리니 뿌듯했습니다.

다음 활동은 세종중학교 근처 식당에 친환경 수세미에 대해서 설명해드리고 하나씩 나눠드렸습니다. 수세미를 나눠드리니 가게 사장님도 좋아하셨고,저희가 준비했던 수세미를 다 나눠드려서 조금이나마 환경을 보호할수 있어서 뿌듯했습니다.

그 다음으로 한 활동은 멍애실이라는 마을에 가서 분리수거함을 설치하고 왔습니다.원래 멍애실이라는 마을에 분리수거함이 없어서 골목길에 그냥 버려져 있는 쓰레기들이 많이 보였습니다.그리고 쓰레기를 불태우는것도 보았습니다. 쓰레기를 태우면 환경에 안 좋은 가스들이 나오기 때문에 쓰레기를 길거리에 버리거나 태우지 마시라고 쓰레기통을 설치하고 왔습니다. 그래서 동아리 시간에 분리수거함을 만들어서 종류별로 다 설치하고 왔습니다. 마을 주민들이 활용하는지는 확인하지는 못했지만 쓰레기를 태우거나 아무데나 버리지 않았으면 좋겠습니다. 쓰레기를 태우면 얼마나 환경이 안좋아지고 동네에 사는 주민분들도 불쾌하실 것 같아 쓰레기를 태우지 않고 분리수거함에 버려주셨으면 좋겠습니다.

그 다음 활동은 최근 밀양에 산불이 났었을 때 미세먼지를 측정하고 왔습니다. 산불이 나기 전과 산불이 났을 때에 미세먼지 농도를 비교해봤더니 확실히 산불이 났을 때가 안났을때보다 훨씬 높아졌습니다. 그리고 가다가 지치고 너무 더워서 박창순선생님이 사주신 아이스크림을 먹으면서 학교로 돌아왔습니다. 산불이 나면 환경과 미세먼지에 얼마나 큰 차이를 주는지 느꼈습니다.

그 다음으로 한 활동은 일회용 비닐로 된 장바구니말고 계속해서 사용할수 있는 장바구니를 세종중학교 후문에 놔두어 놓았습니다. 비닐로 된 장바구니를 사용하면 환경에 피해가 있으니 환경도 지킬 수 있고 계속 재활용 할 수 있기 때문에 되게 보람 있었다. 놔둔지 하루 만에 다 없어져서 기분이 좋았습니다.

그 다음으로 한 활동은 우유팩을 모아서 친황경으로 사용할 수 있는 휴지를 만드는 활동이었습니다. 학교에 우유팩을 가져오시면 간식같은 것을 드리는 이벤트를 진행하였습니다. 참여한 사람이 많아서 기분이 좋았습니다.

그 다음으로 한 활동은 병뚜껑을 모아서 실생활에서 쓸 수 있는 물건들을 만들었습니다. 동아리가 아닌 각모든 반에서 병뚜껑을 모았습니다. 그 병뚜껑으로는 치약이 조금밖에 안남았을 때 치약을 모두 쓸 수 있는 남은 치약을 짜주는 물건을 만들었습니다. 제가 직접 만들지는 않았지만 만든 사람이 고생했을 것 같습니다.

1년을 마무리 하면서, 우리 동아리에서 밀양에 문제점을 찾아서 하는 것이 되게 재밌었습니다 그 다음으로 이 동아리에서 활동을 하면서 느낀 점은 동아리에서 많은 활동을 하면서 밀양에 없는 줄 알았던 많은 문제점들을 고치고 밀양시민들과 다른 사람들에게 설문조사를 하면서 보람을 느꼈습니다.

우리 동네 툰베리가 되어 환경을 지키는 일!

최가한 (2022년도 총무부)

2학년에 올라와서 새 동아리에 가입해야 했다. 난 1지망을 퍼즐동아리로 했지만 2지망인 사회참여동아리에 가입되었다. 처음에는 퍼즐 동아리가 하고싶어서 실망했지만 우리 동아리의 회식 예산을 듣고 마음이 바뀌었다.

동아리에 들어와서 처음 한 것은 우리 동아리의 프로젝트 아이디어 회의였다. 주제가 환경이라는 것을 듣고 내 머리 속에 떠오른 것이 분리수거장이 없는 마을에 분리수거장을 설치하는 것이었다. 우리는 분리수거장을 설치할 마을을 찾다가 밀양 가곡동에 있는 멍에실 마을로 정했다 우리가 첫 번째로 한 것은 멍에실로 가서 마을회장님을 찾고 허락을 받는 것이였다. 그런데 마을 회장님을 찾을 수가 없었다.

그래도 마을에 분리수거장을 설치했다. 나의 아이디어가 잘 성공된 것을 보니 뿌듯했고 내가 조금이나마 환경오염을 막은 거 같았다.

우리 동아리의 2번째 프로젝트는 밀양 도서관으로 가서 사람들에게 환경 관련 설문조사를 하고 1회용 빨대를 줄이기 위한 스테인레스 빨대를 나누어 주는 것이었다. 그런데 막상 도서관 앞에 가보니 사람들에게 말 붙이기가 어려웠다. 그래도 용기를 내어 말을 붙여 봤는데 거절을 당해서 슬펐다. 그래도 빨대는 몇 개 나누어 주었다 그 분들이 우리가 나누어준 빨대를 잘 사용해주셨으면 좋겠다. 그리고 우리는 활동을 다 마치고 냉면을 먹으러 갔다. 사회참여 동아리에 들어오기를 잘했다고 생각했다. 너무 맛있었다.

우리 동아리의 3번째 프로젝트는 수세미에서 미세 플라스틱이 많이 생긴다는 것을 알고 가곡동에 있는 식당에 가서 수세미의 문제점을 알려드리고 미세 플라스틱이 나오지 않는 친환경 수세미를 나누어 주었다. 수세미에서 미세 플라스틱이 많이 나온다는 것을 알게 되었다. 우리 집에도 가져가서 써야겠다고 생각했다.

우리 동아리의 4번째 프로젝트는 가로수 보호하기 프로젝트였다. 우리는 가로수의 심한 가지치기와 벌목, 나무 손상 등을 막기 위해 밀양 강변으로 나가서 나무에 이름을 짓고 팻말에 이름과 나무에 대한 정보를 적고 왔다. 사람들이 그 나무를 보고 가로수의 소중함을 느꼈으면 좋겠다.

내가 이 동아리를 1년동안 하면서 느낀점은 우리 같은 학생들도 공부만 하는 것이 아니라 환경을 위해 힘쓸 수 있다는 것을 깨달았고 우리 동아리가 행정안전부 장관상을 받는 것을 보고 새삼 우리가 좀 대단하다는 생각이 들었다. 그리고 이 동아리에서 많은 프로젝트 활동을 하면서 내가 살아가고 있는 세상의 환경 문제를 많이 알 수 있었고 내가 환경에 관심을 가지게 되는 계기가 되었다. 그리고 이 동아리에 들어올 때는 동아리를 잘못 선택했다는 생각이 들었지만 지금 생각해보면 환경을 위한 활동들을 끝낼 때마다 얻는 뿌듯함과 내가 환경을 위해 일하고 있다는 자랑스러움 같은 것들이 정말 쉽게 얻을 수 없었던 것이라는 생각이 든다.

사회참여 동아리를 하고나서 나는 이 전까지는 보이지 않던 사회의 문제들이 조금씩 보이기 시작했던 것 같다. 당연하게 여기던 가로수의 가지치기와 가로수에 걸려있던 현수막이 점점 보이기 시작하고 땅바닥에 쓰레기가 잘 보였다.

환경에 관심이 거의 없던 내가 환경에 관심이 생긴 것처럼 우리 지구의 많은 사람들도 환경에 관심을 가지고 다같이 지구를 지키는 사람들이 되었으면 좋겠다. 그리고 우리 동아리처럼 더욱 더 많은 사회참여 동아리가 생겨서 우리 사회의 환경뿐만 아니라 많은 사회의 문제들을 모두 함께 해결해 나갔으면 좋겠다.

나의 첫 번째 사회참여

김민엽 (2022년도 기획부)

1학년이 끝나고 2학년이 되면서 1학년때 학교 안팎에서 명성이 꽤나 있던 사회참여동아리에 호기심이 생기게 되었습니다. 그래서 사회참여동아리에 지원해보게 되었고, 1년간 동아리 활동을 하며 우리가 느꼈던 사회의 불편함과 문제점들을 해결하기 위해 우리가 직접 발로 뛴 이야기를 지금부터 소개하겠습니다.

첫 번째 활동으로 멍에실 마을 회장님께 the 분리수거함 설치를 허락 받기 위해 멍에실 마을을 친구들과 방과 후에 직접 방문했습니다. 하지만 결국 마을 회장님을 만나뵙지는 못했습니다. 하지만 우리는 그 이후에 수소문하여 연락을 했고 분리수거함을 설치하고 우리가 원하는 결과를 만들어낼 수 있었습니다. 비록 다른 어른들이 볼 때는 우리가 설치하고 활동하는 것들이 완전하지 못하다고 볼 수도 있지만 우리가 직접 실천한 첫 번째 활동이라서 저 스스로 너무 만족스럽고 기쁩니다.

지나가는 행인들과 학생들에게 설문조사를 실시하고 일회용 플라스틱 빨대를 대신할 수 있는 스테인레스 빨대를 선물로 주는 활동을 진행했습니다. 낯선 사람들에게 말을 걸고 인터뷰를 하는 과정에서 이 동아리 활동이 정말 힘든 것이라는 것을 다시금 느끼게 되기도 하였지만, 직접 친환경 생활을 알려주는 경험을 통해 뿌듯한 마음이 들기도 하였습니다. 이밖에도 동네의 음식점을 찾아가 플라스틱 수세미의 환경 오염 위험성에 대해 알리고, 친환경 수세미를 나눠드리는 활동도 진행했습니다.

또 지난 5월 밀양에 큰 산불이 났습니다. 산불은 어느새 밀양 전체에 영향을 미쳐 사람들을 걱정시켰습니다. 저희가 환경친화 도시 만들기 프로젝트를 하고 있었기 때문에 가장 먼저 걱정이 된 것은 수많은 나무가 불타서 죽어버린 것이었습니다. 그래서 나무를 살려야겠다는 마음이 들었습니다. 나무를 살리기 위해 가장 먼저 한 활동은 우리 주변에 보이는 가로수를 살리기 위해 가로수 이름표 달아주기 프로젝트였습니다. 나무에도 이름을 붙여주는 활동을 통해 지역민들이 나무들에게 더 많은 관심을 받을 수 있도록 간절히 바라는 마음에서 시작되었습니다.

저는 1년 동안 사회참여동아리 활동을 하면서 많은 것을 느꼈습니다. 학생들이라고 해서 공부만 할 필요 없이 세상에 대해 관심을 갖고 관여하고, 그런 관심들이 모여서 어른보다 더 큰 결과를 만들어낼 수 있다는 것을 깨닫게 되었습니다.

우리 동아리가 행정안전부 장관상을 수상하였습니다. 이것을 보고 우리 스스로 대단한 일을 해냈다고 생각합니다. 우리가 1년동안 걸어온 길은 누구에게나 인정받을 만 했다는 자신감을 얻게 되었습니다.

어쩌면 그저 힘든 일이라고 생각하는 사람들도 있을 것이고, 또 누군가는 헛수고라고 생각하는 사람들도 있을 것이지만 우리가 한 행동들은 누군가에겐 희망이 되고 앞으로 우리 세상을 변화시켜 나갈 한가지 원동력이 될 것이라고 확신합니다.

저의 중학교 생활에 한　지 큰 추억을 남겨준, 사회참여동아리는 후회없는 선택이었습니다.

사회를 변화시키는 작지만 큰 힘

김명준 (2023년도 기획부)

사회에 긍정적인 영향을 미치는 것에 대한 열정과 봉사 정신을 가진 나는 사회 참여 동아리에 참여하게 되었다. 나는 평소에도 봉사 활동을 좋아하는 편이었기 때문에 사회 참여 동아리를 통해 사회에 기여하는 경험을 쌓고자 했다.

나는 사회 참여 동아리에서 시장 살리기 프로젝트를 진행했다. 이 프로젝트를 통해 나는 밀양 전통시장의 문제점을 직접 파악하고 해결 방안을 찾아 상인들에게 도움을 주는 기회를 얻었다. 프로젝트를 시작하기 전에는 밀양 아리랑 시장 관련 퀴즈를 내고 상품을 나누어 주며 굿즈도 제작했다. 이를 통해 시장 활성화에 도움을 주고자 했다.

내가 맡은 역할은 밀양시의 문제점을 파악하고 그에 대한 해결 방안을 찾는 것이었다. 방학 때 학교를 나와서 시장 조사를 진행했고, 여름에는 더운 날씨와 힘든 조건에서도 현장 조사를 위해 노력했다. 때로는 힘들고 포기하고 싶은 순간도 있었지만, 나는 끝까지 포기하지 않고 최선을 다해 참고 나아갔다. 그 결과 성과는 상당히 좋았고 이를 통해 많은 성취감을 느낄 수 있었다.

이렇게 사회 참여 동아리를 통해 시장 살리기 프로젝트에 참여하며 사회에 긍정적인 영향을 미칠 수 있었던 경험은 큰 의미를 갖는다. 나는 사회에 기여하는 작은 역할이라도 힘들고 어려운 상황에서도 끝까지 포기하지 않고 최선을 다해야 한다는 것을 배웠다. 이 경험을 통해 나는 더 나아가 사회적인 문제에 대해 더욱 관심을 갖고, 더 큰 영향을 줄 수 있는 사회 활동에 참여하고자 하는 다짐을 하게 되었다.

사회 참여 동아리에서의 활동은 나에게 소중한 경험이었다. 앞으로도 더 많은 사회 참여 활동을 통해 사회에 기여하고, 더 많은 사람들에게 도움을 줄 수 있는 사람이 되고자 한다.

살 맛나는 우리 동네가 되는 비법

조재민 (2023년도 기획부)

저희 동아리는 우리 동네의 발전을 목표로 시작하였습니다. 우리는 처음에 시장을 살리는 것을 목표로 했습니다. 시장은 동네의 중심이자 활기찬 공간입니다. 그러나 최근에는 대형마트나 온라인 쇼핑몰의 등장으로 인해 시장 상인들이 어려움을 겪고 있었습니다. 이에 우리는 시장에 오시는 분들에게 즐거움과 동시에 시장에 대한 관심을 높일 수 있는 방법을 모색하기 시작했습니다.

우리는 퀴즈를 활용하여 시장에 오시는 분들에게 재미와 유익함을 제공하고자 했습니다. 시장에서 판매되는 상품들이나 시장의 역사, 상인들의 이야기 등을 다양한 퀴즈로 만들어 시장 방문객들에게 제공했습니다. 이를 통해 시장에 대한 관심을 높이고, 사람들이 시장을 더욱 즐겁게 방문할 수 있도록 노력했습니다.

또한, 시장 상인분들을 대상으로 불편한 점이 무엇인지 파악하기 위해 설문조사를 실시했습니다. 우리는 상인분들의 의견을 듣고, 그들이 직면하는 문제들을 파악하였습니다. 이를 바탕으로 우리는 시장 상인들의 불편한 점을 개선할 수 있는 방안을 모색했습니다. 예를 들어, 시장 내 홍보를 강화하고 지역 사회와의 협력을 통해 시장의 가치를 알리는 등 다양한 방안을 고려했습니다.

뿐만 아니라, 우리는 학교 내에서도 동네 발전을 위한 활동을 진행했습니다. "대신팔아드립니다"라는 프로젝트를 통해 친구들이 필요 없는 물건을 팔 수 있도록 도움을 주었습니다. 이 프로젝트는 친구들에게 필요 없는 물건을 판매하여 그 수익금을 다시 친구들에게 돌려주는 방식으로 진행되었습니다. 이를 통해 친구들은 불필요한 물건을 팔 수 있었고, 동시에 자원 재활용과 소비의 지속 가능성에 대한 관심을 높일 수 있는 좋은 경험을 할 수 있었습니다.

이러한 다양한 활동을 통해 우리는 많은 성과와 보람을 느낄 수 있었습니다. 우리의 노력으로 시장에 대한 관심을 높일 수 있었고, 시장 상인분들의 불편한 점을 개선하며, 친구들의 필요 없는 물건을 판매하여 친구들에게 도움을 주는 경험을 통해 사회 참여의 중요성과 그에 따른 성과를 깨닫게 되었습니다. 우리는 이러한 경험을 통해 동네 발전에 기여할 수 있는 작은 노력이라도 큰 변화를 이끌어 낼 수 있다는 것을 알게 되었습니다.

이와 같은 활동을 통해 우리는 동네 사람들과의 소통과 협력의 중요성을 깨닫게 되었습니다. 우리 동네가 발전하고 번영하기 위해서는 우리 모두가 참여하고 노력해야 한다는 것을 알게 되었습니다. 사회 참여는 우리의 삶에 의미를 부여하고, 동네와 사람들과의 유대감을 형성하는 중요한 요소라는 것을 알게 되었습니다. 우리는 이러한 경험을 바탕으로 앞으로도 더 많은 사회 참여 활동에 참여하고, 동네와 사람들의 발전을 위해 노력할 것입니다.

살 맛나는 우리 동네가 되는 비법

한승혁 (2023년도 총무부)

평소 지역사회에 대한 관심을 바탕으로 지역사회발전을 위해 고등학교 2학년이 되어서 사회참여동아리에 가입하게 되었습니다. 중학교 때부터 이어진 사회참여동아리에 관심을 가지고 있었고, 그동안 사회참여동아리의 업적을 보면서 나도 지역사회에 관심을 가지고 있으니까, 참여해서 지역사회에 보탬이 되자 라는 생각으로 사회참여동아리에 가입하게 되었습니다.

사회참여동아리에 가입하여 지역사회에 대한 문제점을 동아리원들과 함께 찾으며, 밀양의 전통시장의 활성화에 대한 중심으로 활동을 이어나갔으며, 직접 시장 거리에 가서 지나가는 사람들에게 O,X 퀴즈와 함께 직접 만든 밀양 전통시장 키링 판매 활동을 나서서 하였고, 직접 나가서 하는 활동인 만큼 가장 기억에 남는 활동이 되었다. 그 밖에 밀양 전통시장에 대해 알리고 다녔으며, 이로 인해 여성가족부장관상을 받는 잊을 수 없는 업적을 이룰 수 있었습니다. 이 활동을 하면서 사람들이 밀양 전통시장에 대해 더욱 관심을 가질 수 있을 거라는 생각과 그 활동을 내가 했다는 보람을 느끼면서 활동을 임했기 때문에 정말 만족스러운 결과를 낼 수 있었습니다.

사회참여동아리의 활동이 하나의 나비가 되어 지역사회

에 희망을, 사람들에게 알릴 수 있는 기회가 될 것이라고 생각하면서 언젠가 불러올 나비효과를 기대하며, 어디서도 할 수 없는 정말 진귀하고 소중한 활동을 한 것 같아 보람차고 이런 기회를 만들어준 사회참여동아리에 정말 감사하다는 감정과 이런 기회를 놓치지 않고 잡았던 나에게 칭찬하며 정말 잊지 못할 기억 마음 한 켠에 자리 잡게 되었습니다. 앞으로도 지역 사회에 대해 관심을 가지면서 살아갈 것이라 다짐할 수 있었던 정말 소중한 추억이 되었던 동아리였습니다.

우리 마을에서 내가 할 수 있는 일!

하지연 (2023년도 디자인부)

내가 사회참여동아리에 참가하게 된 동기는 평소에 사회 문제에 관심이 많았기 때문이다. 세종중에 SJCEF라는 청소년 사회참여동아리가 있다는 것을 친구들을 통해서 알고 있었는데, 그 선생님이 세종고로 오면서 세종고에 그 동아리가 개설된다는 사실을 알고 나도 이 동아리에 참여하고 싶어서 이 동아리를 들어오게 되었다.

청소년 사회참여동아리는 매년 동아리의 활동 비전과 목표가 달라진다. 올해에는 우리들이 문화도시와 지역소멸 문제로 고민을 하다가 전통시장 살리기에 중점을 두고 동아리 비전을 만들었다.

이번 주제로 활동한 것 중에 시장을 알리기를 위한 프로젝트의 포스터를 제작하는 활동이 가장 기억에 남는다. 우리들의 비전과 목표를 알리고 이루기 위해, 사전에 시장을 방문해서 시장조사를 했다. 그때 조사했던 것을 바탕으로 시장에 가면 꼭 가야 할 필수 코스들을 포스터로 만들어서 사람들의 주목을 끌기 위해 홍보를 했다. 이 과정에서 친구들과 회의도 많이 진행했다. 친구들과 함께 이야기를 나누니 다양한 아이디어들이 샘솟듯이 뿜어져나와서 이 활동이 가장 기억에 남는다.

또한 나는 이 동아리에서 시장을 살리기 위해 키링과 같은 굿즈를 우리들이 직접 제작하여 전통시장을 중심으로 사람들이 모이게 만들게 하기 위한 프로젝트를 진행하였다. 사람들을 이끌어들이는 마케팅 전략을 친구들과 함께 고민하고 실천하며 어떻게 전통시장을 문화도시에 걸맞게 잘 살릴 수 있을지 대해 다양하고 독창적인 아이디어를 만들어나갔다.

나는 2023년도 동아리 활동을 진행하면서, 내가 의견을 낸 것들이 동아리 활동으로 채택되고 실현되면서 성취감을 느꼈다. 그리고 나의 힘으로도 밀양의 시장을 살릴 수 있다는 경험을 내 눈으로 직접 목격하면서 다른 친구들과 다른 새로운 경험과 추억을 만들 수 있어서 좋았다. 나는 이러한 기회를 통해 밀양에 대해 더 자세히 알 수 있었고, 또한 지역사회에 도움을 줄 수 있어서 보람을 느꼈다.

보람의 끝. 그리고 새로운 변화!

최민석 (2023년도 총무부)

우리 지역의 사회 문제에 관심을 가지고 그 문제를 해결하기 위해 참가한 경험은 큰 의미를 가졌습니다. 특히, 전통시장을 살리기 위한 다양한 활동을 했던 기억은 지나가는 한 해 중에서도 가장 기억에 남는 순간입니다. 이번 에세이에서는 전통시장 활동에 대한 경험과 내가 수행한 역할, 그리고 이로 인한 발전과 보람에 대해 이야기하고자 합니다.

전통시장을 살리기 위한 활동은 우리 지역의 지속적인 사회 문제 해결을 위한 중요한 노력이었습니다. 전통시장은 지역 문화와 경제의 중심지로서 중요한 역할을 담당합니다. 그러나 최근에는 대형마트와 온라인 쇼핑몰의 등장으로 인해 전통시장이 위축되고 소상공인들이 어려움을 겪고 있습니다. 우리는 이러한 문제에 주목하여 전통시장을 살리기 위한 다양한 활동에 참여하였습니다.

전통시장 활동에서 저는 아이디어 제시와 실제 활동을 수행했습니다. 전통시장의 매력을 다시 한 번 부각시키기 위해 현대적인 마케팅 전략과 디지털 마케팅을 활용하는 아이디어를 제안하였고, 이를 토대로 홍보 및 마케팅 활동을 진행하였습니다. 또한, 선생님의 지시에 따라 전통시장 상인들과의 소통과 협력을 통해 다양한 이벤트를 기획하고 진행하였습니다. 이를 통해 전통시장의 매출 증가와 지역 경제 활성화에 기여했습니다.

이러한 노력과 활동의 결과로 많은 성과를 이뤄냈습니다. 전통시장 활성화를 위한 마케팅과 이벤트를 통해 소비자들의 관심과 참여가 크게 증가하였으며, 전통시장 상인들에게 도움을 주었습니다. 더불어 전통시장이 지역 사회의 활기를 되찾으며, 지역 경제에도 긍정적인 영향을 미쳤습니다. 이러한 성과는 제게 큰 보람과 자부심을 안겨주었으며, 함께 노력한 모든 분들과의 협력과 소통이 이룬 결과라고 자부할 수 있습니다.

전통시장 활동을 통해 보람찬 한 해를 보낸 경험은 제게 큰 자신감과 열정을 안겨주었습니다. 이를 통해 우리 지역의 사회 문제 해결에 대한 노력의 중요성을 깨닫게 되었고, 앞으로도 지속적으로 관심과 참여를 통해 지역 사회의 발전에 기여하고자 합니다. 전통시장을 비롯한 지역 자원을 활용하여 지역 경제의 활성화와 지역 사회의 번영을 위해 함께 노력합시다. 이러한 노력과 협력이 우리 지역의 미래를 밝게 만들 것입니다.

작은 불꽃이 큰 불길을 일으킨다.

한준기 (2023년도 부회장)

"작은 불꽃이 큰 불길을 일으킨다"라는 속담이 있습니다. 저는 중학생 때 SJCEF의 사회참여동아리를 통해 이 속담의 의미를 몸소 느끼며 성장하였습니다. 이번에는 한층 더 발전한 모습으로 지역사회의 문제를 해결하고자 동아리에 참가하게 되었습니다. 그동안의 경험과 함께 저의 성장 과정을 한 편의 글에 담았습니다.

"새로운 문제는 새로운 해결책을 요구한다"는 말씀처럼, 지역사회는 다양한 문제들에 직면하고 있습니다. 제가 참여한 사회참여 동아리에서는 전통시장 살리기와 전통시장 인사이트 투어와 같은 다양한 활동을 통해 문제를 해결하고자 노력했습니다. 이러한 노력은 작은 불꽃처럼 시작되었지만, 그 속에는 큰 불길의 저력이 숨겨져 있었습니다. 즉 우리들이 청소년으로서 사회에 맡은 부분이 작지만 지역사회를 바꾸는데 큰 힘으로 어른들에게 각인되었기 때문입니다.

제가 맡은 역할은 실질적인 사회참여 동아리의 리더였습니다. 회의를 주도하고 발표 등을 담당하며 팀원들과 협력하여 문제를 해결하는 과정에서 많은 성장을 경험했습니다. "팀워크는 성공의 열쇠"라는 문구가 떠오릅니다. 우리가 한 팀이 되어 서로의 강점을 살려 문제에 대처하고 해결해 나갔기 때문에 우리의 노력들을 알아주는 사람들이 생겨 보람을 느낄 수 있었습니다.

"한 번의 경험이 천 번의 이론을 대신한다"는 말씀처럼, 사회참여 동아리를 통해 경험한 것들은 이론적인 지식보다 더 큰 가치를 지니고 있습니다. 우리의 노력으로 지역사회의 문제들을 조금씩 해결해 나가는 것은 큰 보람이었습니다. 또한, 이를 통해 청소년은 지역사회에 큰 영향을 끼칠 수 없다는 편견들을 깨는 느낌을 받았습니다.

"도전은 성장의 시작이다"라는 문구가 떠오릅니다. 도전과 어려움을 마주하면서 저는 한층 더 성장할 수 있었고, 지역사회에 대한 관심이 더욱 늘어났습니다. "네가 바꾼다면 세상이 바뀐다"는 말씀도 생각나네요. 저와 같은 청소년들이 더 많은 사회 참여 활동에 참가하여 지역사회의 문제를 해결하고, 더 많은 사람들에게 도움을 주는 기회를 만들어 나가고자 합니다.

작은 불꽃이 큰 불길을 일으킨다는 속담은 우리의 동아리 활동을 잘 비유하고 있습니다. 우리가 작은 불꽃처럼 문제에 직면하고 노력하는 모습이 큰 불길로 이어지면서, 지역사회에 긍정적인 변화를 가져오고 있습니다. 앞으로도 저는 속담과 인상적인 문구들을 마음에 품고, 지역사회 문제 해결을 위해 끊임없이 도전하고 성장해 나가고자 합니다.

언론 보도 자료

■ Local RE-branding ■
세상과 함께 나누다.

사회참여동아리에서 실시한 SG친화도시만들기 등 다양한 프로젝트는 아직 현실로 이루어지지는 못했습니다. 우리 친구들이 한 활동이 법이나 칼과 같은 강력한 힘이 없다는 것을 지도교사인 저도, 우리 아이들도 모두 알고 있습니다.

그럼에도 불구하고, 아이들은 노인 문제와 환경문제에 대한 지역사회의 관심이 조금씩 늘어나고 있다는 것을 눈으로 직접 확인하고 있음에 뿌듯함을 느끼고 있습니다. 우리 친구들은 작은 활동이 모여 따스한 손길로 다가가서 사람들의 마음을 하나 둘, 그렇게 녹여나갈 수 있도록 계속 지속해나가겠다는 포부를 밝혔습니다.

아이들이 세상에 전한 울림을 각종 보도자료로 함께 감상하시죠!

경남도민일보	2020.09.03

사회문제 해결 발로 뛰는 밀양 10대들

빗물받이 쓰레기를 줄이기 위해 쓴 문구 (출처 : 세종중)

저작권 관련 상세 내용 경남도민일보 참조

경남도민일보	2021.01.04

나무젓가락부터 신공항까지 이대로 괜찮을까요

(사진 출처 : 세종중학교)

밀양 세종중 사회참여 동아리 / 생활 속 환경보호·나눔 운동
또래 넘어 지역사회에 큰 울림 / 기성세대 경제 논리에 반기

밀양 세종중 사회참여 동아리 'SJCEF'(회장 최승혁·지도교사
박창순) 3학년 8명이다.

저작권 관련 상세 내용 경남도민일보 참조

경남신문　　　　　　　　　　　2020.11.11

밀양 세종중 동아리, 사회참여 발표대회 '최우수상'

　밀양 세종중학교의 자율 동아리인 'SJCEF(지도교사 박창순)' 학생들이 지난 7일 민주화운동기념사업회와 연세대학교가 공동주관하는 '제11회 청소년 사회참여 발표대회'에 참여해 최우수상인 여성가족부 장관상을 수상하는 영예를 안았다.

　우리 동네 살리기 프로젝트에는 △홀몸노인을 위한 기부팔찌 제작 및 판매활동을 진행하는 ROPE 프로젝트 △장애인 통행의 안전을 위한 태양광LED등 설치와 휠체어 빛반사 스티커를 부착하는 어깨동무 프로젝트 △청소년들의 등굣길 안전을 위한 보행자 안전 UCC 제작활동 △쓰레기 무단투기를 막기 위한 하수구 툰베리 프로젝트가 포함돼 있다.

　동아리 회장인 최승혁(3년) 학생은 "이제 우리들은 졸업을 앞두고 있어 내년을 말할 수 없지만, 후배들이 우리들이 걸어온 길을 함께 따라가 세상에 더 큰 잔소리를 외칠 수 있으면 좋겠다"고 말했다.

고비룡 기자

(기사 전문 세종중 제공)

[자라나다 부문 수상발표] 제5회 정부혁신제안 끝장개발대회 "함께 살아요, 우리"

제5회 정부혁신제안 끝장개발대회 "함께 살아요, 우리" 자라나다 부문에 참여해주신 모든 참가자분들께 깊은 감사의 인사 드립니다.

올해 5회를 맞이한 <정부혁신제안 끝장개발대회 - 자라나다 부문>은 "함께 살아요, 우리"라는 주제로 진행되어, 자라나는 7세부터 16세까지 초등학생 및 중학생을 대상으로 탄소중립을 위한 "매년 온실가스 배출량 2% 감축 방안"에 대한 다양한 아이디어를 제안해 주셨습니다.

지난 4월 22일부터 5월 16일까지 광화문1번가 혁신제안톡에 제안된 총 97개의 아이디어를 대상으로 공정한 심사를 거쳐 아래 7팀의 수상팀을 발표합니다.

수상 결과

구분	시상명	장학금	팀명
대상	교육부장관상	70만 원	SJCEF
최우수상	중부발전사장상	50만 원	탄감자
우수상	정부혁신전략추진단장상	30만 원	Greener is Cleaner
			북극곰아 돌아와
			'마을탐구TV' 어린이마을미디어 보랏빛스케치북
			방 탄소 녀단(탄소를 방어하여 환경을 지키는 소녀들)
			Green Tree

내외뉴스통신   2021.06.18

정부혁신제안 끝장개발대회에서 교육부장관상(대상) 수상

(사진 출처 : 세종중학교)

동아리 활동 활성화하여 자기주도적 학습능력과 소통의 힘 길러

밀양 세종중학교(교장 이응인) 사회참여동아리(지도교사 박창순) 학생들이 제안한 정책이 제5회 정부혁신제안 끝장개발대회에서 1위를 하여 6월 17일, '교육부장관상'을 수상했다.

세종중학교 사회참여동아리 학생들은 '옷(의류)'의 생산과 판매, 폐기에 이르는 과정에서 엄청난 공해가 유발된다는 사실에 착안하여 '옷에도 환경인증등급'을 매기자는 혁신적인 제안을 하게 되었다.

세종중 사회참여 동아리는 교내에서 플라스틱 병뚜껑 분리수거 활동을 펼치고 있고, 밀양강의 플라스틱 비닐 쓰레기를 수거하고 알리는 활동도 하고 있다. 지난 해에는 제11회 청소년 사회참여발표대회에서 가곡동 구도심 살리기 프로젝트 활동을 발표하여 최우수상(여성가족부장관상)을 수상한 바 있다.

장현호 기자
(기사 전문 세종중 제공)

경남신문　　　　　　　　　　　2021.09.29

밀양 세종중, 학생 자율동아리로 메타버스 캠퍼스를 만들다!!

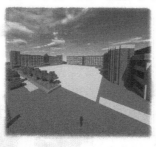

마인크래프트로, 언택트 학교 생태계를 학생들이 직접 조성

세종중학교(교장 이응인)에는 아주 특별한 학생 자율 동아리가 생겨났다. 바로 학생들이 주도적으로 가상 세계에 학교 캠퍼스를 구축해나가는 '메타버스 동아리(지도교사 박창순)'이다.

코로나19로 인한 사회적 거리두기 지침에 따라 원격 교육이 진행되고 각종 행사가 취소되어 친구와 선후배 간 교류가 사라지게 되자, 가상 세계를 만들어 인간적인 만남을 촉진하고자 하는 취지에 따라 만들어졌다.

이 동아리는 기관 및 학교가 아닌, 학생들이 주도적으로 '미래 학교'를 구축하고 이끌어나가고 있다는 점에서 주목할 만한 동아리이다. 3학년 3명의 학생들이 자율적으로 활동 계획서를 작성하여 창설되었다. 자신들이 가장 잘할 수 있고, 친구들이 좋아하는 마인크래프트가 메타버스 캠퍼스 구축의 주요한 도구가 되었다.

한편, 메타버스 동아리는 '2021. 세종중 경남형 학교 공간 혁신 프로젝트'에도 참여하여 학교 공간혁신 아이디어들을 가상 캠퍼스에 구현하는 작업에 매진하고 있다.

경남교육청 제공
(기사 전문 세종중 제공)

뉴시스   2021.10.06

밀양시, 2021 경상남도자원봉사 대축제 전 분야 수상

(사진 출처 : 세종중학교)

경남 밀양시는 '2021 경상남도자원봉사대축제'에서 밀양시 자원봉사자 김흥준 씨가 자원봉사 이그나이트부문 최우수상을 받는 등 전 분야에서 수상의 영광을 안았다고 6일 밝혔다.

자원봉사 프로그램 부문 우수상을 수상한 SJCEF(세종중학교 사회참여동아리)는 'S(실버)-G(그린)친화도시 만들기'란 주제로 병뚜껑 챌린지, 밀양강 플로깅으로 탄소중립 실천 봉사활동을 기획·추진해 선정됐다.

김성찬 기자
(단신 기사 인용)

제12회 청소년사회참여발표대회 결과

제12회 청소년사회참여발표대회에 관심 가져주신 여러분께 감사드립니다.

제12회 청소년사회참여발표대회는 코로나19 사태에도 불구하고 전국에서 66개 모둠 359명의 청소년이 참여하였고, 원고심사를 거쳐 그 중 12개 모둠 69명의 청소년들이 본선에 진출하였습니다.

본선대회는 2021년 11월 6일(토) 코로나19 확산 방지를 위해 온라인(게더타운 gathertown)으로 개최되었으며 전국의 청소년들이 모여 각자 활동한 내용들을 나누는 시간을 가졌습니다.

이에 제12회 청소년사회참여발표대회 시상 결과를 다음과 같이 공지합니다.

<제12회 청소년사회참여발표대회 결과>

훈격	지역	모둠명(소속)	비고
국회의장상	경북	문화재까투리(대구교육대학교 안동부설초등학교)	지도교사상
부총리 겸 교육부장관상	세종	시민의탄생(연서초등학교)	지도교사상
행정안전부 장관상	서울	make things right(문영여자고등학교)	
여성가족부 장관상	서울	사회학개론(신도중학교)	
경상북도교육감상	경북	아고라(오상고등학교)	
경기도교육감상	경기	앙가주망(문산수역고)	교육감상 모둠명 기준 가나다순 ABC순 표기
부산광역시교육감상	부산	RYG(가람중학교)	
경상남도교육감상	경남	SJCEF(세종중학교)	
연세대학교 고등교육혁신원장상	경기	정과정(한민고등학교)	
	부산	피그말리온(부산국제고등학교)	
민주화운동기념사업회 이사장상	서울	지오이드(성보고등학교)	
	경기	매일, 봄(화성반월고)	

(사진 출처 : 경남교육청)

매월 생생한 경남교육 소식을 전하는 경남교육청의 소식지 '아이좋아 경남교육' 12월호의 '특별기획'에는 세종중학교의 소식이 담겼다.

김용훈 기자
(단신 기사 인용)

[현장속으로] 지역사회를 바꾸는 작은 날갯짓 (KBS 200924 방송)

KBS 촬영 장면 (사진 출처 : 세종중학교)
저작권 관련 상세 내용 KBS 참조

2020년 38회 경남교육뉴스 | 경상남도교육청

(사진 출처 : 세종중학교)

저작권 관련 상세 내용 경남교육청 유튜브 채널 참조

민주시민을 키우는 교육 2부 | EBS미래교육플러스

EBS 미래교육플러스 촬영 장면 (출처 : 세종중)

저작권 관련 상세 내용 EBS 참조

경남도민일보 2021.11.9

사회참여발표대회 행정안전부 장관상 수상 | 경남도민일보
밀양 산불 및 가로수 관련 문제점 해결방안 제시

밀양 세종중학교 학생 자율 동아리인 'SJCEF(지도교사 박창순)' 학생들이 지난 5일 민주화운동기념사업회가 주관하는 '제13회 청소년 사회참여 발표대회'에 참가하여 행정안전부 장관상을 수상하는 영예를 안았다.

총 56개 모둠, 300여 명의 청소년이 참가한 이 대회에서, 세종중학교 SJCEF는 '나무를 지켜주세요!(Save The Tree)'라는 주제로 발표하였다. 지난 5월 31일 발생한 밀양 산불을 겪으며 느낀 문제점들을 해결하기 위한 공공정책과 해결방안을 제시하였다.

학생들이 제안하고 실천한 공공 정책은 『도시숲 보호법』과 『시민 산불감시대 규정』,『농촌지역 The 분리수거함 운영』이다.

동아리 회장을 맡은 조재민 학생(3학년)은 "밀양 산불이 전해주는 나무의 울부짖음을 잊지 말고 기후 위기를 극복하기 위해 나무와 공존하는 우리 동네가 되었으면 좋겠어요."라고 밝혔고, 윤도한 학생(1학년)은 "우리의 이야기를 들은 모든 사람들이 자신이 살고 있는 동네의 나무 지킴이가 되었으면 좋겠어요."라고 활동 소감을 밝혔다. 이 밖에도 참가한 4명의 학생들이(3학년 최민석, 서민준, 2학년 강태훈, 1학년 길태영) 가로수 및 산림 정책 담당자와 만나 정책으로 실현될 수 있도록 노력하겠다는 포부를 밝혔다.

경남교육청 제공
(기사 전문 세종중 제공)

연합뉴스 2023.09.08

빈 점포를 공유 플랫폼으로…전통시장 활성화 아이디어 '톡톡' | 연합뉴스

경상남도 전통시장 활성화 아이디어 공모

지역사회의 참여와 협력을 기반으로 전통시장의 매력을 강조하고
도민들의 경험과 창의적 아이디어를 모아넣어
지역 경제의 활력을 불어넣을 수 있는
전통시장 활성화 아이디어 공모를 하고자 하오니,
도민 및 단체의 많은 참여를 부탁드립니다.

밀양 세종고등학교 학생 자율 동아리인 'SJCEF(지도교사 박창순)' 학생들이 전통시장 활성화 공모대회에서 최우수상을 수상하는 영예를 안았다. 경남도는 지난 7월 3일부터 31일까지 '경상남도 전통시장 활성화 공모'를 진행해 접수된 26건 중 7건을 우수작으로 선정했다고 8일 밝혔다.

공모에서는 민간 전문가 등이 참여해 실현 가능성, 독창성, 효과성, 지속가능성을 기준으로 심사했다.

이 결과 빈 점포를 활용해 공유부엌이나 공유냉장고 등 지역사회 공유 플랫폼을 설치해 운영하고, 공유 팝업 스토어존 조성을 제안한 밀양 세종고 사회참여동아리의 아이디어가 최우수상 수상작으로 선정됐다.

경남도는 우수 아이디어는 충분하게 검토해 도의 전통시장 지원정책에 적극 반영할 계획이다.

동아리 회장을 맡은 한준기 학생(2학년)은 "밀양이 도시 소멸 문제로 고통받고 있다. 먼훗날 우리 동네가 사라지지 않도록 전통시장을 매개로 하는 지역 활성화에 앞장서겠다."라고 밝히며, 앞으로 정책 담당자와 만나 정책으로 실현될 수 있도록 노력하겠다는 포부도 밝혔다.

경남교육청 제공
(기사 전문 세종중 제공)

밀양시, 공공데이터 활용 공모전 최종 심사
마쳐 | 경남연합뉴스

밀양 세종고등학교 학생 자율 동아리인 'SJCEF(지도교사 박창순)' 학생들이 밀양시 공공데이터 활용 아이디어 제안 대회에서 최우수상을 수상하는 영예를 안았다.

밀양시는 '2023년 밀양시 공공데이터 활용 아이디어 제안·데이터 분석 공모전'을 개최해 지난 17일 최종 심사를 진행했다고 20일 밝혔다. 이번 공모전은 개방된 공공데이터를 다방면으로 활용해 밀양시 생활 불편 해결과 시정 발전에 기여할 수 있는 창의적인 국민 제안 아이디어를 발굴하기 위해 추진됐다.

7월부터 진행된 공모전은 ▲아이디어 제안 ▲데이터 분석 2개 부문으로 실시됐으며, 전국 35개 팀이 참가한 가운데 서류 심사 및 공개 검증 등의 절차를 거쳐 최종 7팀이 선정됐다.

심사 결과, 아이디어 제안 부문에서는 ▲전통시장 데이터를 활용해 '인공지능 기반의 최적의 장보기 경로 서비스'를 제안한 SJCEF팀(세종고 사회참여동아리, 지도교사 박창순)이 대상으로 이름을 올렸다.

　　동아리 회장을 맡으며, 본선 발표를 직접 준비한 한준기 학생 (2학년)은 "밀양이 가진 풍부한 문화를 널리 알리기 위해서는 디지털과 AI를 활용한 문화 관광의 새로운 시스템 도입이 필요 할 것이다"라고 밝히며, 앞으로 정책 담당자와 만나 정책으로 실현될 수 있도록 노력하겠다는 포부도 밝혔다.

(단신 기사 인용 및 재구성)

SJCEF(세종고 사회참여동아리), 지속가능한 우리 동네를 위하여(6년차 사참동 이야기)

세종고 사회참여동아리(지도교사 박창순)의 활동이 눈부시게 빛나고 있다. 최근 경남청소년활동진흥원이 주관하고, 경남도의회 및 경남교육청이 후원하는 2023년 경상남도 청소년자원봉사대회에서 동아리 부문 최고상인 최우수상(여성가족부장관)을 수상했다. 이밖에도 각종 정책 제안 공모대회에서 수상을 하고 있다.

2019년 세종중학교부터 2023년 세종고등학교까지, 5년의 시간 동안 지도교사와 학생들이 함께 우리가 사는 동네의 문제점을 찾고 어른들이 생각하지 못한 창의적인 방법으로 공공정책을 제안하고 실천했다.

특히, 환경 문제를 다루며 가로수의 보호, 산불 예방을 위한 농어촌 지역 더 분리수거함 설치, 테이크아웃 커피 등에 대한 반환경 어택을 실천했다.

또한 소멸 문제에 관심을 갖고, 전통시장 매개 관계인구 증진 프로젝트, 꿀벌 소멸과 관련하여 파크 골프장 문제점을 집중 지적하였다.

이밖에도 사회적 약자로 부각되는 홀몸노인과 장애인에 대한 프로젝트도 실천하였다.

　동아리 회장 한준기(2학년) 학생은 청소년 사회참여활동이 우리 동네를 긍정적으로 바꿀 수 있다는 믿음으로, 세상을 밝게 비추는 존재가 되고 싶다고 포부를 밝혔다.

- 2023년 수상 실적 -

* 2023 대한민국 열린 토론대회 청소년부 장려상(중앙선거방송토론위원장상, 230811, 2023-9호)

* 2023.경상남도 전통시장 활성화 공모 최우수상(경남도지사, 23.09.08, 상금50만)

* 2023년 경상남도 청소년자원봉사대회 최우수상(여성가족부장관상, 23.11.03)

* 밀양시 공공데이터 활용 아이디어·분석 공모전 대상(밀양시장,231117, 호, 상금 150만)

보도자료와 관련하여 보다 자세한 내용이나 취재를 원하시면 아래로 연락주시기 바랍니다.

- 세종고등학교 교사 박창순

맺 음 말

회장	👑 김○연
부회장	👑 한○기*

구분	기획부	총무부	마케팅부	디자인부
역할	Learn team	Empower team	Share team	Inspire team
팀장	한○기*	송○욱*	임○정	김○연
대리	손○완	정○한*	최○동*	정○진
대리	김○준*	한○혁*	김○한	강○윤
사원	조○민*	최○석*	박○원	하○연

파멜라 메츠의 "배움의 도"에
나오는 이런 구절이 떠오오른다.
'최상의 교사가 할 일을 다 마쳤을 때,
아이들은 말했다.'

"야, 드디어 우리가 해냈어.“